사랑이 아니라면

분노하고 투쟁할 이유가 무엇이랴

2009년 9월 9일. 이사를 앞둔 당원 송별회.

(왼쪽 위부터 민홍기, 류강용, 김상현, 김선홍, 김한구, 이종명, 이남구, 윤용중, 박성수, 강현만, 김봉식, 김영근, 아기 안도연, 함현우, 심찬구, 김영호 그리고 사진에 보이지 않는 김재정, 서상영, 안성주, 장이석, 김도영, 임정옥, 성병화 등)

신바람 김영근 회장과 회원들

사랑이 아니라면

분노하고 투쟁할 이유가 무엇이랴

강 현 만

덤이

아버지는 1월 15일 하늘의 별이 되었다. (강이진, 1935~2024)

살아서

나의 인생 나의 삶 나의 운동 나의 투쟁 나의 연애 나의 사랑 나의 결혼 나의 세 아이들 그리고 서서히 고장 나고 아픈 몸뚱아리 그리고 인내하며 가져가야만 하는 꿈과 희망

시집 『덤』에서

차 례

＼＼ 들어가며

나의 일기, 기록이다. 남아 있는 기록을 더듬어 찾았다. 짧은 기간의 기록이지만 학생운동과 노동운동 시절의 일기가 남아 있었다. 중학교 시절부터 일기를 썼었다. 노트가 열 권이 넘었던 분량으로 기억한다. 부모님 집에 있었던 일기는 잦은 이사 과정에서 사라지고 말았다. 내가 노동운동 하면서 신경 쓰지 못한 까닭이다.

일기가 사라진 것을 알았을 때 그 느낌은 말로 표현하기 힘들었다. 너무 안타깝고 슬펐다. 그 속에는 내 청소년기의 무궁무진한 감성이 고스란히 담겨 있다. 지금에는 도무지 기억할 수 없는 감성과 느낌의 보물이다. 두고두고 애석한 일이 아닐 수 없다.

그 시절에 가질 수 있었던 예민하고 풍부했던 감성과 느낌, 기억을 어디서 다시금 퍼 올릴 수 있단 말인가. 지금 나에게는 그 기억도 그 시절에 가졌던 기쁨과 아픔, 웃음과 분노, 사랑과 추억을 도무지 건져 올릴 수가 없다.

1984년 강남구 압구정동 현대아파트 현대상가 내에 있던 현대교회 대학부에 나가게 되면서 운동을 시작하게 되었다. 서울시 광진구 광장동에 위치한 장로회신학대학(장신대)에 입학한 나는 '인간사상연구회'라는 서클에 가입했다. 서클에 김재엽 선배는 나를 현대교회로 안내했다. 학교와 교회 대학부에서 나는 인문 사회과학 서적을 학습했다.

십자가에 못 박힌 예수의 하나님은 정의와 민주주의, 해방을 실현하기 위해 투쟁하는 운동에 있었다. 세상을 바꾸기 위한 운동은 나에게 너무나 자연스러운 과정이었다. 생산력과 생산관계, 생산양식 그리고 인류 역사의 변화와 투쟁에 대한 사회과학적 인식과 철학, 사상은 나에게 생각하는 인간으로서 무기가 되었다.

대학에서 학년이 올라가는 일은 학생운동의 지도부에 오르는 과정이었으며, 3~4학년이 되면 구속을 각오한 투쟁을 통해 운동의 한 단계를 정리하는 장면이 되었다. 자본주의 체제에서 모순의 대립은 자본가와 노동자의 전선이었다. 학생운동 후에 노동운동으로 투신은 자연스러운 일이었다.

노동운동에 물꼬를 트면서 학교 후배들도 노동운동에 함께 하게 되었다. 1980년 5.18, 1987년 6월 항쟁과 789노동자대투쟁 그리고 전노협, 민주노총, 진보정당으로 이어지는 과정은 한국 사회운동의 역사와 맥을 같이 한다. 그 운동의 시간 속에서 나는 여러 번 부침의 과정을 겪었다. 부끄럽고 드러내고 싶지 않은 부침의 과정은 언젠가 글로 세상에 드러날 것이다. 1980년대와 지금은 상상하기 어려울 정도로 많은 변화와 발전이 있다. 특히나 1997년 IMF는 한국 사회의 인심과 제도를 신자유주의 자본주의 체제로 철저히 변화시켰다. 한국 사회의 신자유주의는 돈에 찌든 천민자본주의 체제로 뿌리가 크고 깊어졌다.

　　나는 '돈과 자리(권력)'라는 거울에 비춰보면 그 사람(세력)의 진정성, 실체가 드러난다고 이야기한다. 위선과 가식, 내로남불이 부끄러움과 염치를 패대기치는 세상이 되었다. 진보가 또는 운동하는 사람(세력)이 부자이고 돈 많으면 어떠냐고 대놓고 윽박지르는 시대가 되었다.

　　시집 〈텀〉에 '질량보전의 법칙'이라는 시가 있다. 내가 가진 돈, 권력, 명예의 한편에 그만큼 착취하고 줄어든 돈, 권력, 명예가 있음을 경계하고 성찰할 수 있어야 한다.

이 책은 부족하지만, 나의 삶이요, 일상이다. 시대를 아파하고 고뇌하며 몸부림쳤다. 타는 목마름은 '부끄러움'과 '염치'에 빠졌다. '부끄러움'과 '염치'는 온전히 내 몫이다.

1986년

1986년 5월 22일

한 인간의 삶은 궁극적 실천을 통해 이야기될 수 있다. 공허한 이론과 회색적인 말의 난무는 목적 의식적 삶을 지향하는 이에게 있어서 살인적 오류를 가져온다.

분명한 실천적 이론만이 역사의 합법칙성에 합일되고 이 땅에 프롤레타리아 국가를 이룰 것이다.

혁명의 진행을 위해 힘을 쓰고 끝내는 혁명을 위해 목숨까지 버리는, 역사와 민중에 대한 헌신적 삶을 살아간 우리의 숱한 선배들.

그들 앞에 머리를 숙이며 분연히 결의를 다진다. 혁명 앞에 우리는 모든 걸 버릴 수 있어야 한다. 우리는 얼마나 어리석은 가! 조그만 것들에도 쉽게 약한 모습을 보이고, 거만해지려고 하며 교만하지 않은가!

반성해야 할 우리의 모습. 적나라한 자기비판과 아울러 스스로 강제를 통한 학습과 실천에 전념하자.

몹시도 보고픈 사랑하는 이.
그에 대한 사랑을 운동, 혁명 속에 기꺼이 웃음으로 매진하자.
4월에 이은 5월의 잔인한 향기는 풋풋한 피 내음으로 저려온 다.

- 철 -

* 1986년 5.3인천투쟁으로 나는 수배가 되었다.

1986년 5월 24일

현대세계자본주의는 어떤 단계 발전에 와 있는가!

사회구성체 분석에 있어서 다양한 이론들이 논쟁을 거듭하고 있지만 전체적으로 국가독점자본주의론으로 설명되고 있는 것 같다.

레닌의 제국주의론에서 국독자(국가독점자본주의)가 이야기되며, 1917년 1차세계대전을 거치면서 새로운 사회로 이행, 제국주의보다 높은 단계, 사회주의 이행시기로 규정짓고 있다.

하여간 국독자의 본질론적 성격에 있어서는 생산력, 생산 관계에 국가의 전체적 개입하에 생산, 유통, 시장을 형성하며 독점체와 상호침투적 관계에 있다고 말 할 수 있겠다.

필연성 이론에서는 우선 독점자본주의 자체 내 모순에서 찾아야 할 것이며, 계기적 역할로서 사회주의 체제 성립, 전쟁, 공황 등이 될 수 있겠다.

역사적 위치론에서는 자본주의에 최고 최후적 발전단계가 아닌가 생각된다.

정확한 사구체(사회구성체)분석에서 모순론, 자본론이 서며 변

혁 주체, 선전 선동이 나온다고 할 수 있겠다. 그에 따른 남한
은 선진제국주의와는 다른 차이를 갖지만 국독자 성격을 가짐
은 타당하고 모순의 첨가로서 제국주의에 예속된다. 전반적인
운동론에 대한 분석은 차후 더 요구된다. 치열한 학습 투쟁이
요구된다.

– 철 –

1986년 5월 25일

현구야.

하루가 또 지난다. 현실 상황이 매끄럽지 못한 나날을 보내고
있다. 곤혹감과 무료함이 마음과 몸을 무척 괴롭힌다. 해야 할
일이 눈앞에 가득 펼쳐진다. 스스로 강제를 통해 성실 하려고
애쓴다.

오늘은 청년 마르크스에 관한 철학의 한 부분으로 포이에르바
하에 관한 테제와 철학의 빈곤, 소외 부분을 읽어 냈다. 테제

에서는 마르크스의 유물론과 인간, 사회에 대한 초기의 사상을 이야기한다.

물론 마르크스의 철학이 성립하기에는 헤겔, 포이에르바하 그리고 그 당시의 사회경제적 상황이 큰 토대가 된다.

유물론에서는 헤겔의 절대정신이 포이에르바하를 거쳐 마르크스에게서 뒤바뀌어진 모습으로 새롭게 나타나고 그의 이론은 변증법과 결부된 중요한 세계 철학의 토대를 세운다.

역사, 인간, 실천이라고 하는 단어가 실체화되면서 핵심으로 자리 잡는다. 나도 긍정한다.

하나의 문제가 정리, 요약되는 것도 의의는 있지만 우리에게는 실천을 통해 역사 속에서 변혁, 혁명이 유토피아적 세계를 가져오리라 믿는다. 아울러 제반 모순은 현실 곧 인간의 경제적 성장, 물론 상부와 상호 침투되며 찾을 수 있다고 본다.

인간은 개별 인간의 추상적 총합일 수 없으며 본질은 사회관계의 총합에서 찾아질 수 있다. 이는 인간이 유적 존재이며 아울러 역사적 존재임을 말하고 있다.

계급이 형성된 인간적 사회의 현실적 형태에서 주인은 프롤레타리아가 되며 프롤레타리아만이 진정한 계급해방의 주체이며 원동력이 되리라 본다.

우리의 철학은 역사, 사회에 대한 인식 토대를 둔 실천적 혁명, 그 속에서만이 일치되고 이론이 성립될 수 있겠다.

철학의 빈곤은 푸르동의 '빈곤의 철학'을 비판하며, 쓰인 구체적 현실적 변혁적 글이다.

어쩌면 마르크스 철학의 기본인 존재가 의식을 규정한다는 명제 속에서, 역사의식에 입각하고 사회적 총체(하부)로서 바탕이 되는 제반 존재, 의식 이러한 것들이 정당성을 가진 프롤레타리아에 의해서 실현되어갈 수 있겠다.

소외는 극히 서론적인데 이전 소외 개념이 관념적 형태에서 완성적 형태, 헤겔에게서는 회복된 자기 모습에 이르는 과도기로 이해되는 부분인데, 마르크스에게 와서 진정한 현실적 토대가 되었다. 소외는 인간 주체, 주인의 자리를 상실하는 것으로 된다.

이 소외의 극복 또한 프롤레타리아이며 피티(프롤레타리아)의 변혁적 실천을 통해서 담보해야겠다.

우리의 철학은 실천을 통해서 이야기할 수 있으며, 인간의 역사의식으로 계급 헤게모니를 장악하고 해방이 된다고 하겠다.

– 철 –

* 현구는 사랑하는 애인의 이름을 다르게 적었다. 잡혔을 경우를 대비했다.

* 피티는 프롤레타리아인데 당시 운동권에서는 말을 줄여서 표현하는 일이 많았다.

1986년 5월 26일

내 마음과 몸은 너를 향해 줄달음친다.

모든 걸 다 제쳐 놓고 너와 이야기하고 웃으며 함께하고 싶다.

너에 대한 무조건적 애정은 시간, 시간 애타게 한다. 남녀가 만나서 사랑함에는 다양한 유형들이 있다.

어쩌면 우리가 드라마에서 보는 그런 유의 사랑이 우리가 생각하는 대부분의 사랑 유형이 아닌지 모르겠다. 하지만 인간의 모든 활동은 현실적 토대를 배경으로 하기에 허망한 꿈을 가질 수 없다. 그러한 것들은 역사를 망각한 삼겹살의 유희 놀음이라 생각한다. 그렇게 비춰봤을 때 너와 나의 사랑은 참으로 변혁적 실천의 아름다움이라 하겠다.

우리는 남녀 사랑이기 전에 사상으로 생을 함께하고 애쓰는 인간적, 동지적 행위다. 그에 따른 우리의 행위가 돼야 한다. 구체적, 실천적 몸부림 속에서 서로서로 절실히 이해하며 하나로 되어야 한다.

물론 우리 사랑은 많은 질곡을 형성하겠지만 그러한 것들은 결코 우리 사랑을 가를 수 없고 크게 문제 될 수도 없다. 사랑한다는 한마디는 작지만 소중하다. 우리 사랑은 생의 일치 속에서 궁극적 혁명의 사랑과 행복을 가져다줄 것이다.

앞으로의 삶을 미리 준비할 수 있어야 하며 불평, 불만 없이
승리로 이끌어야 한다.

사랑한다. 너를
지금의 고통은 기꺼이 웃음으로 씹어 뱉자. 사랑해!
- 철 -

1986년 5월 27일

내일 현구를 만난다.
자꾸 후회가 밀려든다. 행여나 그를 미행하는 자가 있기라도
하면 어떻게 한단 말인가? 물론 지금까지의 동태를 봐서 그럴
일은 없을 거라는 생각이 들지만, 동선의 위험성을 가진 나로
서는 불안한 마음이 든다.

실천은 인식에 앞선다. 역사 속에서 실천을 통한 인식이 나타
나고 심화하였다. 관념론에서 주장하는 선 인식은 미친 상태의

논리라 아니할 수 없다. 그렇다고 인식이 결코 무용하다는 건 아니다. 실천에 따른 인식은 능동성을 지니며 이때 인식은 혁명적 실천으로 비약한다.

인식은 감성에서 이성적 인식이라고 하는 단계를 밟으며 이 두 인식은 상호침투한다. 인식에 있어서 우리는 종종 본질과 현상을 바로 보지 못하는 경우가 있는데, 과학성이 요구된다고 하겠다.

인식에 있어서 경험·교조·주관주의는 배격되어야 한다. 세계 모든 사물은 운동 안에서 발전한다. 따라서 인간의 인식도 그것에 따라 발전한다. 진리에 있어 상대적, 절대적 진리가 이야기되며, 사회변혁의 과정에서는 객관 과정이 급속히 변하므로 그에 따라 인식 운동과 실천 투쟁도 급속히 발전시켜야 한다.

실천, 인식, 재실천, 재인식이라는 순환을 통해서 실천과 인식은 내용에 더욱더 큰 발전을 가져온다. 실천과 인식의 변증법은 운동 인자의 무기라 하겠다. 철학은 pt(프롤레타리아)를 통해서 나타나며 pt는 철학을 요구한다.

적의 탄압과 폭력 속에서 쓰러지지 않고 승리할 수 있기 위해

유물변증법, 사적유물론의 사상적 무기를 가져야 한다.

하루하루의 역사에 대한 충실.
- 철 -

1986년 5월 28일

현구야,
술 한잔했다. 무척 취한다. 머리가 핑핑 도는 걸 보니 세상이
무척 어지러운 듯싶다.

우리는 작은 것에도 충만하다. 이렇게 느끼고 사는 걸 보면 행
복한 부류임에는 틀림없는 것 같다. 선배가 공장에서 일하는
동료들을 데리고 와서 함께 고기에다 한잔했는데 왜 이리 취
하냐! 몸이 나빠진 건지.

짱구를 접함에 난 무척 행복했다. 그 행복을 말로 하기 힘들
다. 짱구에 의연한 모습 그리고 애쓰는 모습에서 난 기뻤다.

짱구야 너만을 사랑하마, 우리 참으로 진실한 사랑을 이루어 보자. 오 나의 사랑스러운 짱구, 너에게 난 모든 걸 주마. 네가 원하는 일이면 다 하겠다. 오 나의 사랑 나의 짱구.

물론 어쩔 수 없는 우리 사랑의 은폐지만 그 또한 아름다움과 묘미를 더하지 않냐! 서로의 행위 속에서 자꾸만 쌓여가는, 표현하기 힘든 신뢰와 애정이 싹트는 것 같다.

우리 사랑은 지금 뭘 하고 있을까? 당장 다가가 안고 어루만지고 싶구나! 세계는 우리가 헤아리기 힘든 어려운 고난이 많다. 그러한 것들을 조금씩이나마 예지하며 살자꾸나.

위대한 선배들의 사랑
우리는 그보다 더 훌륭하게 사랑하자. 아울러 에스케이의 해방을 위해서 실천하고 인식함을 게을리하지 말자. 짱구를 생각하며 자고 싶다. 꿈속에서 우리 짱구를 다시 또 봐야지. 오 나의 사랑, 오 나의 짱구, 안아주고 뽀뽀해주고 함께 있으리.

건강하고 행복한 짱구, 더욱더 증진하라.
아 짱구, 우리 짱구, 내 사랑 짱구

무조건 우리 짱구를 외치고 싶다. 짱구.

– 철 –

* 일기라 애정 표현에 가감이 없다.
* 스물두세 살의 청춘이었으니 얼마나 뜨거웠으랴! 수배로 쫓기는 상황이기도 했고.
* 당시 둘이 사귀는 걸 주변에서 몰랐다. 당시 학생운동권은 선후배 간 연애를 금지하던 분위기였다.

1986년 5월 29일

나는 지금 시점에서 지난 기간 학내 생활에 있어 반성의 깊이가 뼈를 스민다. 물론 아직은 상당 부분 감성적 단계지만 이토록 허무하게 나의 운동이 느껴질 줄이야. 고통이 무척 크다.

어쩌다 난 이렇게 됐는가? 학생과 무적, 수배의 강압, org(조직) 속에서 84에 대한 책임 있는 신뢰가 나에게 무척 약함을 느낄 수밖에 없었고, 어느 정도는 객관적이라 생각된다.

당당하게 자기 소신을 밝히지 않는다. 운동에 관해 이야기하지 않는 자를 어떻게 같이 운동한다고 내놓고 이야기할 수 있겠는가?

이런 상황에서 어떻게 해야 할지, 감옥에 있는 우리 동지들이 그립구나! 녀석들, 내가 있어야 할 곳에 왜 너희들이 있는지 모르겠다.

지금에 나도 힘들다. 존재가치가 상실되는 느낌이다. 나의 편향인가? 혼란스럽다. 모든 게 어지럽다. 조용히 자신의 혁명성을 돌아보면서 내가 닦아야 할 것을 열심히 준비해야겠다. 나의 투쟁이 지금은 질곡을 갖지만, 전체 속에서 승리하리라 본다.

정말로 후배들이 사랑스럽다. 앞으로 그들이 어떻게 될지 어쩌면 sm(학생운동)의 휴지기가 돼버렸고 그들에게 아무것도 해준 게 없으니 가슴 아프다. 나의 실천 속에 오류가 있음을 인정할 수밖에 없구나. 아! 모두 투사로서 혁명적 인식과 실천을 갖자.

우리 사랑.

나에게 당면한 일은 후배들이 스스로 일을 처리해 나갈 수 있도록 해야 하지만 현재 상황은 전혀 그렇지 못하다. 그렇다고 하면 계속 도망을 치다가 3.4 분기 싸움하고 잡혀가는 것과 아니면 수사망에 걸려 달리는 일이 있다. 그렇다고 했을 때 나는 군대 문제도 있고 아울러 5.3 또는 학내 상황에서 내가 했던 일 그리고 전력, 제적생이라고 하는 것으로 인해 년 단위로 감옥에 있어야 한다는 결론이다. 이랬을 때 우리 사랑은 어떻게 될까? 불안한 생각이 든다. 아직 너는 약하게 생각되고 험한 벽에 쓰러질 것 같은 생각이 드는 것이다.

물론 너와 나 문제를 떠나서 네가 운동을 계속한다면 내가 무얼 더 바라겠는가? 하지만 너와 나는 우리로 해서 하나 되는 문제도 있지 않은가. 그렇다고 했을 때 우리는 더욱더 신뢰하며 이해할 수 있는 관계로 되어야 한다. 그럼 어떻게 해야 하는가. 우선은 당면한 운동에서 자기 성숙을 요구하는 것에 최대한 노력을 다해야 한다고 본다. 아마도 그런 것에는 학습과 학내 org(조직) 속에서 운동의 한 주체적 인자의 모습이 필요하겠다.

운동은 결코 누구 개인이 하는 게 아니다. 선배가 없으면 후배들이, 동료가 못하면 자기가 일을 풀어야 한다. 누가 해주길 바라는 게 아니라 서로의 비판과 자기비판 속에 이끌어져야 한다는 것이다.

그랬을 때 운동은 계속해 발전할 수 있다. 누가, 지도부가 책임 맡으니까 하는 식으로 해서는 안 된다. 책임 있는 이가 못하면 지적하고 같이 할 수 있도록 하는 거다. 그리고 남녀는 서로가 자기만을 생각하고 사랑해주길 원한다. 이런 바람에 대해 이해하고 감안할 수 있어야 한다.

얼마나 될지 모르는 감옥생활 동안 네가 지속해서 운동하며 옥바라지를 계속할 수 있어야 하는 어려움도 있다. 아울러 여자는 여자로서 처신해야 할 행위 부분이 있다. 물론 네가 불구가 되든 식물인간이 되든 너에 대한 사랑이 변함없겠지만 준비성 없는 무분별한 행위로 인해 네가 상처를 입는다든지 또다른 이를 생각한다면, 우리가 말하는 부부의 관계는 상정할 수 없다고 본다.

역사 속에 강하고도 주체적인 한 인간으로서 우리가 지향하는 것들에 끝내 승리할 수 있도록 하자.

내 사랑아 네가 내 곁에 없다면 난 또 얼마나 많은 시간 동안
을 울어야 할까 두렵다.

1986년 5월 30일

감각과 이성이 진정되질 않는다. 몸은 흥분으로 가득 찼다. 노
동해방과 평등 세상을 향한 작은 인간의 몸부림에 어려움과
질곡이 크다. 어떠한 실천적 인식으로 컨트롤할지 심히 혼란스
럽고 어렵다.

난 과연 운동에 대해 부단한 애를 쓰고 있는 건가? 아니면 운
동에 대한 나의 과학적 인식과 실천이 얕아서 질곡을 자초하
고 있는 건가.

장신대학생운동을 위해서 나는 모든 노력을 다했는데 현재 나
타난 장신학생운동은 불안을 떨치기 힘들다. 물론 내가 구속
등 사유로 조직에 없을 때 느끼는 곤혹감이 크다.

더구나 신뢰감을 형성할 수 있는 동료는 현재 상태로 학내에 없으니 더욱 크게 격정을 불러일으킨다. 5.3인천 투쟁에 대해서 최종 수사 발표가 간절하구나. 정확한 나의 위상이 정립되질 않으니 온통 심란하다.

여하튼 두 친구가 나오기까지는 학내 부분을 담보해야 한다. 친구가 석방된 후에 후배들을 자연스럽게 지도할 수 있어야 한다. 나의 이 생각에 안티(거부)가 걸린다면, 학내 조직은 미로를 헤맬 수 있다.

내 위치 또한 방향성을 애매하게 잃어버리고 항해하는 꼴이다. 신뢰성 약한 동료에게 후배를 맡긴다면 물론 친구들이 석방될 때까지 한시적이지만 불안하기 그지없다. 그동안 나와 샘은 어떻게 자리를 설정하란 말인가!

방학과 3/4, 4/4분기

조직과 st, circle 기타 작업을 어떻게 누가 담보할 것인가? 아직도 해야 할 일들이 산적한데. 벌써 한 달 공백을 가져버렸구나. 아아!!

- 철 -

1986년 6월 2일

각종 매스컴에서 떠들어 대는 4, 5월의 잔인한 달이 지나고 6월이 됐다. 하지만 6월은 더욱더 피맺힌 한스러운, 남한 현대사 속의 비극의 달이 아니던가?

아아 남한 민중이여!
그대들의 맥동이 살아 숨 쉬는 한 잔인과 비극의 무리는 제거되리라.

5.3인천 투쟁은 더욱더 꼬여만 간다. 전두환 일당은 민중의 땅을 이룩하고자 하는 참인간들에게 갖은 이데올로기로 죽이려 든다.

전두환 파쇼의 수사는 더욱 맹렬해지고 포악스럽게 달려든다. 오늘 일이 더욱 꼬이게 하는 일이 생겼다. 샘을 며칠만 생활하게 했던 형이 달렸다(잡혀갔다)는 것이다. 우리에게 일은 복잡하고도 크게 벌어져 가는 듯하다.

해야 할 일이 참으로 많음에도 불구하고 더욱 어렵게 전개되고 있다. 손대야 할 일들이 막연하게 멀어져 가고, 시한부로 달려가는(잡혀가는) 일만 남은 듯하다.

자연히 일을 잘해야 하는 초조감과 자신의 처리 문제는 혼재되어 다가온다. 모두가 열심히 해야 하는데 아직 후배들은 일하는데 어리게만 행동하고 있으니 답답함이 커져만 간다.

 ※ 1986년 일기는 5월 22일부터 6월 2일까지 짧은 기간이다.

1986년은 전두환 군사파쇼에 맞서 각계각층의 투쟁이 치열하게 전개되었다. 1985년 2.12 총선은 창당 한 달밖에 안 된 신민당의 돌풍을 가져왔다. 이러한 민심은 국민이 대통령을 직접 뽑겠다는 직선제 개헌 투쟁으로 전개되었다.
1986년 3월 구로공단 박영진 열사의 투쟁, 4월 신림사거리 김세진·이재호 열사의 미제 용병 입소 반대 투쟁 그리고 5•3 인천 투쟁으로 타올랐다. 학생, 노동자, 시민 등 운동권이 총집결된 투쟁이었다. 재벌, 미제와 결탁한 기회주의적 신민당에 대한 비판과 전두환 군사파쇼 타도를 외쳤다.

5·3 인천 투쟁으로 장신대 여러 학우가 구속되었으며, 현장에서 체포되지 않은 인원은 수배가 되었다. 일기는 수배 상황에 놓였던 짧은 기간의 기록이다. 그해 8월 말에 나는 버스에서 체포되어 구속되었고, 집행유예로 성동구치소에서 풀려나게 되었다. 내게는 현상금 50만 원과 일 계급 특진의 수배령이 떨어졌다. 당시 경찰은 학생 등 수배자 잡기에 총력을 기울였다. 계급 승진은 너무나 큰 매력이었다.

1986년 3박 4일간 전개된 10·28 건대 항쟁은 1,228명의 구속자를 낳았다. 건대 항쟁은 반외세 자주화, 반독재 민주화, 조국 통일의 3대 구호를 내걸었다. 전두환 정권은 좌경용공, 빨갱이로 몰아 잔인하게 탄압했다.
건대 항쟁 구속자 명단에 사랑하는 이와 동생이 이름을 올렸다. 생각해보면 어머니, 아버지 두 분이 어려운 시기를 잘 버티고 이겨내셨구나 싶다. 그 후로도 두 분은 자식들의 운동권 행보를 지켜보시고 응원하셨다.

1986년의 투쟁은 1987년 박종철 열사의 죽음, 6월항쟁, 789
노동자대투쟁으로 이어졌다.

1992~1994년

1992년 10월 17일

16일 금 10시간의 수면이다.

수면에 대한 고민이 마음에 파장을 불러일으킨다. 적당하고 규칙적인 수면을 조직화해야 하는데도 마음만 앞설 뿐 실행에 어려움을 겪는다. 생활의 무규율에서 비롯되는 것이리라. 무조건적 9시 기상을 결의한다.

물이 나오지 않아서(104호 수도관 파열) 물긷고 설거지하는데 한낮의 시간을 보냈다. 석유보일러도 고장인데 집주인은 신속히 처리를 해주지 않고 있다. 빨리 되도록 조치를 강구 해야겠다.

대선을 앞두고 개최된 연합대의원대회 때 자료를 보면서 자신을 반성한다. 치밀하게 사고하고 분석평가해서 운동 발전에 복무하도록 해야 하건만 이악하게 준비하지 못하는 모습에서 짚고 점검해야 할 부분이 많다.

하루하루에 대한 총화를 내실 있게 하도록 해야겠다. 저녁에는 카톨릭노동사목에서 고용불안 강연회가 있었다. 강연자의 말에 의하면 한국경제의 구조적 한계로부터 발로되는 당연한 귀결이다. 특히나 산업구조조정이 노동자의 주체적 입장에서는 고용조정정책이며 노동자 책임 전가 정책으로서 정책적 대응이 요구된다고 했다. 참여자 수가 너무 적은 것 같다. 주최 측의 성실하고 부지런한 준비가 필요했다. 소홀했던 것 같다.

생활상의 생계 대책을 시급히 세워야겠다. 후원도 물색해야 하지 않겠나 하는 생각이 든다.

지출: 담배 두 갑 1,200, 치킨 1마리 6,000 합 7,200원

1992년 10월 18일

17일 수면 시간은 7시간이다.

새벽 5시에 잠들어서 12시에 일어났다. 생활상 계획으로 세운 기상 9시를 첫날부터 지키지 못했으니 답답할 노릇이다.

새벽까지 잠을 못 자는 것도 답답한 일이 아닐 수 없다. 수면 시간을 대폭 줄이는 방향으로 나가야 할 것 같다.

전형이 왔다 갔다. 송형 일에 대해서 무척 열심이다. 나의 태만에 대해 부끄럽게 한다. 전체적으로 생활력이 떨어지는 데서 비롯되는 모습은 아닌지. 스스로 채근해 본다.

저녁에는 한겨레 독자 모임 주최 이문옥 감사관의 강연회에 갔는데 생각 밖으로 사람이 적게 모였다. 이문옥 감사관 같은 분들이 많이 나올 수 있도록 손뼉이라도 크게 쳐서 힘이 되도록 해야 한다는 생각이 든다.

영화 매춘 2, 비디오로 봤다. 말초적 신경에 반응한다. 동지 선배들께 부끄러운 생각이 든다. 매춘 1을 영화관에서 봤다. 울고불고 몸 팔고 근본적 문제 해결이 없는, 호기심을 자극하는 상업 영화를 벗어나기 어렵다.

건강한 하루였는지. 당면 투쟁에 대해 고민하고 준비하는 모습이어야 하건만 나태 속에 묻혀 있다. 떨쳐 나설 강한 의지의 빈곤 상태는 아닌지. 먼저 가신 선배•동지들께 부끄러운 자 되지 말자.

지출: 쌀 6,000 담배 1,200 비디오 2,000 청하 2,000 합 11,200원

1992년 10월 19일

18일 수면 시간은 5시간이다.

강촌에 답사를 다녀왔다. 산들이 울긋불긋 사람 마음을 잡아끈다. 색다른 맛을 느끼게 했다. 산이 많지 않은 고장에서 자라온 나로서는 산의 참맛에 대한 이해와 깊이가 부족하다. 금수강산이라 불리는 조국 강토에 스스로 녹아들고, 각박한 삶에 새로움을 불어넣는 변화와 조정이 필요하다는 생각이 들었다. 찬구와 함께 1년에 두 번은 놀러 간다는 약속을 지켜야겠다.

정현이에게 어떻게 어떤 말을 해서 삶의 질을 좀 더 발전하도록 해야 할지 어려움을 느끼게 하는 하루였다. 집단적 삶의 토대를 가져내도록, 사상 의식의 성숙을 내오는 일, 삶의 소박성 등등. 쉽지 않은 일들이다. 스스로 백지화해서 차근차근 짚어 봐야겠다.

답사 약속에 30분 늦었다. 약속 시간만큼은 칼이었는데 부끄러운 일이다. 기상 시간 9시를 1시간 초과해버린 하루가 또 됐다. 일찍 자는 습관을 들이도록 노력해야겠다.

승리하는 주체의 삶을 바탕으로 노개정(노동법개정) ㅌㅈ(투쟁)을 힘있게, 대선 투쟁을 승리로 이끌자.

 지출: 답사 20,000 비디오 2,000 합 22,000원

1992년 10월 20일

19일 수면 시간은 9시간이다.

기상 시간 9시가 지켜지지 않을뿐더러 수면 시간이 길다. 18일 수면의 짧음과 강촌 답사가 피곤하게 작용했다. 더불어 일어날 때 허리의 통증이 심하게 느껴졌다. 여하튼 기상 시간을 제대로 지켜내지 못하는 날이 계속되고 있다. 하루 생활에 대한 리듬을 세우고 좀 더 의지를 곧추세워야겠다.

신형을 만났다. 지난 한 주는 현장 사업이 나름대로 즐겁게 이끌어진 데 대해서 만족스러운 듯하다. 자기중심을 분명히 틀어쥐고 소박하게, 계획의 구체성과 집중성을 갖는다면 잘될 것이다. 조언이 일정하게 도움이 됐다니 나로서도 기쁘다.

도형 집에 갔다. 회사에 대해 이러저러한 이야기를 나누었는데, 공단의 중요한 사업장임에도 제대로 풀리지 않는 데 대해 고민이 많다. 좀 쉽게 생각하고, 자연스러운 적극성이 필요한 듯싶다. 치밀하게 계획을 세우고 지속적이며 완강하게 사업을 전개한다면 분명 좋은 성과가 있을 것이다.

전형 집에 가서 술 한잔하고 바둑을 두다 보니 새벽에야 집에 왔다. 할 일 많고 중요한 때임이 절실하다. 주체적으로 생활을 혁신하며 전투력이 보장되도록 해야 한다. 스스로 안일함은 없는지, 소극성은 없는지.

지출: CD판 18,000 담배 600 목욕 1,800 택시 1,000 합 21,400원

1992년 10월 21일 00:50

20일 수면 시간은 9시간이다. 여전히 수면 시간은 길고 기상 시간도 지켜지지 않고 있다. 원칙을 분명히 틀어쥐고 스스로 성찰토록 해야겠다. 생활의 철저성, 맘먹은 것은 분명히 해내고자 하는 기풍을 구현하는데, 최선의 경주를 다해야겠다.

허리가 약한 데 따른 잔잔한 통증이 자신을 불안하게 한다. 대선이 끝나고 나면 분명하게 해결하도록 최선의 방안을 찾아 실행에 옮겨야겠다.

은행에 다녀오고 방 청소, 베토벤의 운명 교향곡을 들었다. 밥하고 설거지, 청소 등을 잘하므로 인해서 찬구의 피곤함을 덜

어주고 있다. 집안일을 자연스럽게 하는 데 따른 성실성이 돋보이는 듯하다.

집사람과 그들도 우리처럼이라는 비디오를 봤다. 둘이 오붓하니 볼 수 있다는 시간이 소중하리라. 부업 문제를 빨리 해결해야겠다.

대선 승리의 밝은 전망에, 주체 역량의 기민한 대응은 보장되는가! 사회변혁에 대한 원칙적 틀의 준수가 그 어느 때보다 절실히 요구된다. 말과 이론이 아닌 실천, 실천, 과학적 실천 말이다.

지출: 순대 2,000 담배 600 요델리 800 합 3,400원

1992년 10월 21일 23:55

21일 수면 시간은 8시간이다.

허리의 통증이 은은히 지속해 나타나면서 의욕의 저하를 불러

오고 있다. 정말 처방은 없단 말인가? 허리의 통증만 없다면 아니, 없었다면 하는 과거로부터 앞날까지 안타까움을 갖게 한다. 착잡한 심정이 전신을 흔들어 놓는다.

만남과 논의, 평가 그리고 실천에 이르는 제반 사업상의 모습들이 썩 마음에 들지 않는다. 열의와 헌신성에 대한 긍정성은 부여되건만 원칙 속에서 주체를 비춰내고 개조하며, 발전을 더해 가는 데에는 현상 유지를 벗어나지 못하는 상태가 아닌가! 좀 더 진취적이고 적극적인 기풍을 나 자신이 먼저 내오도록 해야 할 텐데, 먼저 지쳐 나는 모습이니 참 안타깝다. 사상적 해이에서 분명 비롯되는 것이리라. 원칙에 대해 무조건 지켜내자. 삶에 승리하는 자 되기 위해서 살아온 나날들이 아니던가! 미·민자당 정권은 탄압과 지배를 강화·영속화하기 위해 그야말로 불철주야 난린데. 이토록 나약한 생활력을 가지고서야 어찌 간고분투의 삶을 빛나게 영위할 수 있겠는가!

발로 뛰는 실천적 사업작풍, 날로 주체 혁신하는 생활, 주체의 모범을 통한 새로운 기풍 확립.

지출: 차비 1,450 담배 600 주전부리 1,900 합 3,950원

1992년 10월 23일

22일 수면 시간은 7시간 30분이다.
아침 6시 30분까지 잠을 이루지 못하고 이 생각 저 생각으로 날을 새다 잠이 들었다. 은행에 갔다 와서 밥을 먹고 송형 문제로 시간을 보냈다.

저녁에는 경현 씨 댁에 가서 이런저런 얘기를 나누었다. 만남을 통해서 자신의 기본적 활동 의식을 확인하고 책임성을 발양 하는 모습으로 되는 듯하다.

질 높은 집단생활이 주체로부터 요구됨을 생활 속에서 가져오게 한다. 사상의식의 고양과 풍부 속에서 여유를 찾는 덕스러움.

통일단결은 어떤 원칙하에서 보장되어야 하는가?
통일단결을 이루어내는 주체의 자세와 태도에서 요구되는 끈 덕짐.

당면 노개정 투쟁과 대선 투쟁에 대한 고민과 준비, 승리의 신심을 안고 내달려야 한다. 우리는 민주정부 수립과 전국연합의 대국민 지도력 강화라는 투쟁의 목표를 반드시 완수해야 한다.

조직 · 선전 사업의 중요성

나로부터 결사하고 나로부터 투쟁을 발동하는 투쟁 의지.
한겨레 신문 배달을 하게 됐다. 23일부터. 열심히 하자.

차비 1,000 비디오 2,000 김밥 1,000 합 4,000원

1992년 10월 24일

23일 수면 시간은 8시간이다.
날을 새고 신문을 돌렸다. 오후 나절을 잠으로 보내고 저녁에는 쌀통이 들어와서 가구 배치를 하느라 시간을 보냈다.

내 사랑 찬구와 저녁에 사소한 문제로 다투고 보니 답답하고 실망스럽다. 도대체 왜 그러는가? 조금만 참으면 되는데, 참으로 부끄러운 일이다. 금세 풀어지고 좋아하면서 어리석게도 왜 자꾸 티격태격하는지 모르겠다. 한심한 일이다.

부인에 대해 공경심을 가지고 대하자. 말도 부드럽게, 상냥하게 하자. 찬구에게만 더 바라는, 다르길, 원하는 것을 고치자. 둘의 관계에서 나 먼저 모범을 세우도록 노력하자. 사랑은 가꾸고 창조하는 것이랬는데 인내하면서 조금씩 조금씩 쌓아 나가자. 부끄럽지 않고 모범이 되는 부부가 되도록 하자.

다시는 그러지 말아야지 하면서도 되풀이되는 건 개조 과제를 분명히 틀어쥐고 해결하겠다는 강한 노력의 부족에서 주어지는 것이리라. 이제 더 이상 다투는 일이 있어서는 안 된다.

술 30,000 비디오 4,000 담배 1,200 과일 2,000 합 37,200원

1992년 10월 25일

24일 수면 시간은 6시간이다.

아침 신문 배달에 따른 시간 조절을 계획적으로 해야겠다. 저녁 취침을 일찍 하고 오후에 자는 일이 없도록 해나가야겠다. 앞으로 바빠질 텐데 생활의 효율성을 높여야 한다. 지치는 일 없이 하루하루 생활을 보장할 수 있어야 한다.

오, 어머니 당신의 아들이라는 청년 학도들의 고민과 삶, 사랑을 극화한 내용으로 가슴 울렁이게 한다. 투쟁의 삶이 자랑스럽다. 전투적 삶의 지향성을 촉구한다.

동지여!!
노동해방과 민족해방의 전선에서 주체 혁신하고 살아 생동하는 바람으로 승리를 안아오리라.

미·노 일당의 말기적 증세가 사회 전반에 걸쳐서 거짓과 폭압으로 숨돌릴 사이 없이 몰아치고 있다. 민주를 되돌려 세우고자 발악하고 있다. 하나 어쩌랴. 역사의 흐름은 도도히 흐르는데. 아서라! 부질없는 장난이다. 쓸데없는 짓이거늘.
대선과 맞물린 자주·통일 투쟁이 더없이 중요한 때이다. 저들의 저열한 공세를 대중적으로 정면 돌파해야 한다.

동문 조별 모임과 11월 사업계획에 대한 만남이 있었다. 좀 더 준비하는 자세, 매사 모든 사안에 준비하는 자세와 태도를 철저히 견지하자.

김밥 10,000 우유 500 후라이팬 7,000 합 17,500원

1992년 10월 26일 23:55

25일 수면 시간은 3시간 30분이다. 26일 수면 11시간이다. 25일은 노개투(노동법개정투쟁) 등반대회로 수리산에 다녀왔다. 92년 노개투쟁이 여느 해와 다르게 중요성이 높지만, 조합원들의 열기가 뜨겁지 않은 모습이다. 현재 노동운동이 안고 있는 문제로부터 나서는 것이리라. 상당히 쌀쌀한 날씨로 추위에 힘겨웠다.

26일은 어제 등산으로 인해 많이 잤다. 오후에 전형이 와서 이러저러한 얘기를 나누고 저녁에는 영근 씨 집에 다녀왔다.

매사 고민하고 준비하는 자세가 생활 속에서 요구된다. 과학적
이며 실천적인 사고와 강고한 실천력으로 안 받침 될 때만이
대중 앞에 우뚝 선 사람으로 다가설 수 있으리라.

몸이 항상 피곤한 상태다.

25일 우유 500 기타 500 합 1,000원
26일 복사 1,200 담배 6,000 합 7,200원

1992년 10월 27일 23:50

오늘 수면은 3시간이다.
새벽 신문 배달하고 지국에 들렀다. 주택 전 지역 배달과 수금
까지 해서 5십만 원 급여를 받기로 했다. 오후에는 비망록을
긋고 배달지역을 점검했다.

오후에는 대선과 관련한 만남이 있었다. 민주정부 수립을 위한
안산지역 국민회의 결성에 대한 논의를 나누었다. 지부가 국민

회의의 중심 역할을 하고 지역 내 제반 개인과 단체를 총망라
해야 한다. 국민회의 산하에 공감단, 민선대를 꾸려 광범위한
대선 체계를 내오고, 실천적이고 집중적인 활동을 해야 한다.

저녁에는 신형을 만나서 회사에 관한 이야기를 나누었다. 사업
에 있어서 원칙을 분명히 틀어쥐고 주체적이며 목적의식적인
사업을 담보해내야 한다. 또한 일상적으로 자연스러우면서도
맥을 분명히 잡아내는 사람 사업의 능력을 키워내도록 훈련되
어야 한다.

석탑의 움직임이 발전적이고 통일적이지 못한 양상을 드러내
고 있다. 우려스럽다.
생활 재정의 확보로 생활상의 안정은 세워진 듯하다. 이제 생
활의 규칙·규율을 올곧게 세워내도록 전력투구해야겠다.

지출 없음.

1992년 10월 28일(수) 23:55

오늘 수면 시간은 8시간이다. 어제의 부족한 수면으로 피곤했나 보다. 신문 배달 후 여섯 시간을 정신없이 잤다. 오후에는 여러 형들의 집들이가 있었다. 대선에 대해 이러저러한 이야기가 있었다. 주 객관적 정세는 어느 때보다 민주 정부 수립의 기대가 높다. 부족한 것은 민민권의 적극적인 홍보 선전, 조직, 투쟁이 따르지 못하다는 것이다.

각급 부문, 지역별로 본격적인 대선 준비 체제로 활동 계획을 세워 진행하고 있다. 대국민 접촉의 공간을 광범위하게 강화할 수 있는 방도가 모색되어야 한다.

당면 노개투 투쟁과 더불어 ILO 조약 비준의 변화된 정세 속에서 노동운동의 질적 발전을 위한 깊이 있는 고민이 필요하다. 각 단위 사업장의 일꾼들도 충실한 고민과 활동이 요구된다.

저녁에는 수도권 노동자 한마당 포스터를 붙였다. 힘들고 피곤하지만, 하루를 정리하는 시간이다. 이제 잠을 자도록 해야겠다.

과일 6,000 커피 150 합 6,150원

1992년 10월 30일(금) 08:45

29일 수면 시간은 6시간이다.

피로가 누적되는가 보다. 뭐 특별히 한 것도 없는 것 같은데 저녁에 피로가 엄습했다.

서울에 가려고 했는데 신문 배달에 따른 비망록 긋는 문제로 오후 시간을 보냈다. 비가 와서 제대로 할 수는 없었다. 어정 쩡하게 시간을 보냈다.

피곤해서 일찍 잠이 들었다. 아무래도 당분간 피로로 힘든 시 간이 될 것 같다. 주택 배달지역에 대한 파악이 분명해지면 일 찍 신문을 돌리도록 해야겠다.

03:30 ~ 06:00

07:00 취침 ~ 12:00 기상 이후 활동. 11월 초중으로

젠규정 10,000 휘발유 3,300 오일 3,000 합 16,300원

1992년 10월 30일(금) 23:55

오늘 수면 시간은 8시간이다.

조직을 바라보는 관점과 입장. 조직에 대한 활동가의 자세와 태도. 제반의 조직 생활과 활동에서 선진적으로 고민하고 준비하지 못하는 데 따른 반성의 목소리가 크다. 학습의 중요성이 대두된다. 더불어 하나하나에 대해서 밀도 있게 사고하는 기풍을 세우도록 해야겠다. 조직은 무기이자 단련의 장, 학교라 했는데 조직에 대한 사람들의 태도는 얼마나 견실한가. 겸허하고 소박한 자세를 삶 속에 구현하자. 올바른 풍모 속에서 지속적인 성숙과 발전을 빛내가자.

대중들의 정서와 문화를 내 것으로 하면서, 대중을 발동하여 주체로 세워나가는 것이 그간의 현장 활동 속에서 쉽지 않음을 느끼게 한다. 어중간한 자세와 태도를 힘 있고 규율 있는 주체적 활동가로 세워내는 고민이 필요하다. 끈기와 수완이 필

요하다.

신문 인수를 빨리해야 한다. 새벽일이 무척 피곤한가 보다. 입술이 트고 볼이 부어오른다. 빨리 적응하도록 생활의 체계를 잡아내야겠다.

가스 9,000 커피 350 차비 800 기타 2,000 합 12,150원

1992년 11월 1일(일) 23:55

10월 31일 수면은 11시간이다. 오늘 수면은 7시간이다. 몸의 피곤함이 더 하더니 얼굴이 많이 부었다. 어제는 수도권 노동자 한마당과 애경이 결혼식이 있었는데, 얼굴이 많이 붓고 힘들어서 아무 곳도 가질 못하고 누워 끙끙대고만 있었다. 계절이 바뀌고 새벽 일로 몸의 균형이 깨진 것 같다. 금주까지는 여독이 계속되지 않을까 싶다.

생활의 규칙, 규율을 높여내는 것이 당면한 과제가 아닌가 싶

다. 저녁에 일찍 자고 낮의 수면을 줄여야겠다. 하루 20분 정도는 꼭 운동할 수 있도록 노력해야겠다. 몸의 건강에 좀 더 많은 신경을 써야 한다. 부실한 몸으로 인해 힘차지 못한 일들이 발생한다. 괴롭다.

집사람이 늦는다. 서울에 갔는데, 생각하는 일들이 모두 잘 됐으면 좋겠다. 힘들지만 당당히 나서자. 사랑과 인내, 넓은 포용, 고요하지만 기민하고 예리한, 주체를 올곧게 세우고 세상을 안아오는 …

맑지 않은, 몽롱한 듯한 머리 상태가 건강 속에서 빛나기를.

1992년 11월 3일 00:45

2일 수면 시간은 8시간이다. 잠을 자야 하는데 또 잠이 오지 않는다. 이 무슨 짓이란 말인가. 도대체 무엇 때문인가. 왜 저녁에는 이토록 잠이 오지 않는가. 강박관념인가 아니면 낮에 잠을 자서 그런가. 내일부터는 낮잠(오전 오후에 걸쳐 자는 잠)을 없애버려야겠다. 신문 배달 후 자는 잠을 없애버려야만 하루의 일정이 제대로 잡혀 갈듯하다.

오늘도 신문 배달과 인수로 하루를 보내고 쉬었다. 할 일 많은 이때 몸마저 부실해서 세월을 보내고 있으니 답답할 일이다. 이번 주가 지나면 좀 나아질 것으로 생각하니 위안이 된다.

내일은 전화국에 가서 전화요금(영수증) 문제를 마무리 짓고 은행에 들렀다가 줄넘기를 사야겠다.

매스컴은 연일 대선 보도로 흥청거린다. 미국놈들 선거 보도도 바쁘다. 노동자 대투쟁과 대선 투쟁을 힘있게 이끌어야 하건만 실천 투쟁은 뒷전이고 논의만 분분하니 답답할 일이다. 기본적인 홍보 투쟁만이라도 해야 하지 않는가.

1992년 11월 3일(화) 22:40

오늘 수면은 5:30분이다. 날을 새고 신문을 돌렸다. 비가 와서 신문을 돌리는데, 시간이 오래 걸렸다. 비가 오는 날이면 신문 돌리는 일이 배로 힘들다. 조심해야 한다.

안산지역에도 조만간 국민회의가 결성된다는 소식이다. 더불어 대선 특위가 꾸려져 대선 투쟁에 대한 제반 준비를 시작하게 됐다. 국민회의 산하에 민선대, 공감단, 시청료대책위를 두기로 하고 기본적인 집행부서를 두어 제반 실무를 담당하게 됐다. 노조 공대위가 반드시 국민회의에 결합해서 노동자 대중이 대선에 적극적으로 결합할 수 있어야 한다. 공단은 공대위에서 적극적으로 담당하고, 동별 체계를 두어서 자원봉사자를 중심으로 한 공감단을 꾸려내야겠다.

반민자당 연합전선을 통한 민주연립정부 구성은 절대적 목표다. 국민대중의 대선에 대한 올바른 입장과 자세가 올곧게 세워지도록 민민세력의 통일적인 대응과 투쟁이 절실하다. 독자 후보 전술은 누구를 이롭게 하는 것인지 너무도 명백하지 않은가.

항간에 간첩단 사건으로 시끌벅적하다. 정면 대응해야 할 사항임에도 민민운의 대응이 미흡하다. 대선 승리를 위해서라면 저들이 못 할 일이 무엇이 있단 말인가? 일단 터뜨리고 엮어내면 대선에 결정적 영향을 미치게 되는 것은 불을 보듯 뻔하지 않은가? 적극적인 투쟁이 요구된다.

1992년 11월 5일(목) 17:20

4일 수면은 3시간이다. 오전에 상담소 들러 대선에서 해야 할 일에 대해 점검했다. 오후에는 상록수역에서 시청료 분리 고지 서명을 받았다. 시민들 피부에 와 닿는 사안이라 짧은 시간에도 많은 서명을 받을 수 있었다. 40여 년 독재정권의 감옥 같은 감시를 끝내야 한다. 서명을 망설이는 사람들의 모습에서 독재정권의 촉수가 아른거렸다.

저녁에는 공형이 와서 식사하고 술 한잔하면서 이런저런 얘기를 나누었다. 사람을 중심에 놓고 자연스럽게 풀어나가는 것이 매우 중요함에도 조급하게 생각하는 것은 어디에서 연유하는 것일까? 분명하게 와 닿지 않는다.

오늘 수면은 8시간 30분이다. 장모님과 이모님이 다녀가셨다.

급히 왔다가 가시는 바람에 별 얘기도 나누지 못해 서운했다. 가실 때 돈을 드린다는 게 빈 봉투만 드리는 실수를 하고 보니 죄송한 맘으로 몸 둘 바를 모르겠다. 이게 무슨 황당한 일이란 말인가. 쥐구멍에라도 들어가고 싶다.

저녁에는 동문 임원 모임이 있었다. 바쁘다. 공감단 기획안도 준비하고, 주 학습계획서도 해야 하는데. 세계일보 신문 인수도 한다고 말만 하고 나가지 못했다. 미안한 생각만 든다. 한 번 찾아봬야겠다.

1992년 11월 7일(토) 19:50

6일은 잠을 자지 못했다. 11시 대선 특위 모임 참석한 후 상록수역에서 시청료 대책 회의 서명을 받았다. 잠을 자지 못하고 4시간 동안 서서 소리쳤더니 온몸이 힘들었다. 저녁에 친구들이 찾아와서 잠깐 이야기를 나누었다.

저녁에는 찬구와 다퉜다. 도대체 뭐가 문제인지. 온통 복잡하고 뒤숭숭하다. 뭐가 뭔지 모르게 만들어 버린다. 성질나고 화나게 만든다. 찬구는 친구에게 갔다. 마음대로 하라고 내버려두자. 도대체 뭘 잘했다고, 난 또 뭘 어쨌다고, 하나도 이해하지 못하는 답답한 사람. 이래 가지고서야 무얼 어쩌고 하는 사람들이라고 할 수 있겠는가. 답답한 인생이다.

오늘은 잠에서 깨어나지 못할 듯 잤다. 14시간, 신문 돌리는 일을 팽개쳐 버리고 싶지만, 무조건 해야지 하는 생각으로 힘없이 터벅터벅 걸으면서 신문을 돌렸다. 몸과 마음이 땅속으로 가라앉는 것만 같았다. 내내 머리가 핑하다. 저녁에 찬구가 왔다가 또 나갔다. 사람 만나는 것까지 이해하지 않고, 언제는 안 그랬었나. 사람이 정신 하나 없이 피곤한데도 뭐 하나 이해하는 모습이 있었는가?
내 온몸을 찢어발기자. 처참하게 찢어발기자. 그래 나를 나락의 구덩이 끝까지 떨어 넣어라. 할 일은 많은데. 표현할 길 없는 답답함이 전신을 휘감아 짓누른다.

1992년 11월 11일(수) 23:59

9일 수면은 2시간이다. 10일 수면은 8시간이다. 오늘 수면은 5시간이다.

정신없이 바쁜 시간이 흐르고 있다. 새벽 신문 돌리는 일이 끝나면 대선 사업으로 바쁘게 돌아간다. 사람 만나고 회의하고, 잠자는 시간을 내야하고, 시민회의 공감단 실무책임을 맡게 되니 더욱 정신이 없다. 공감단(공정선거감시단) 사업에 대한 중요성과 책임 의식이 깊게 다가온다. 준비해야 할 게 너무 많다. 해낼 수 있도록 치밀하게 준비하고 최선의 노력을 다해야겠다. 공감단 홍보(포스터, 선전물), 증, 뺏지, 기념품(볼펜) 교육(국민회의 지침서학습, 공감단원 교육 강사 선정)

단원 모집

부재자 투표

발족식(공감단 소식지)

조직체계 확정.

1992년 12월 2일(수) 01:25

매일 쓰던 일기가 중단된 지 꽤 오래되었다. 에고, 하는 생각에 힘겹지만 펼쳐 들었다.

피곤한 날이 계속되고 있다. 새벽에 일어나 저녁까지 정신없이 흘러간다. 생활 총화가 이루어지지 않아서 더욱 그럴 수도 있겠지만 대선이라는 특수 상황과 새벽 신문일이 맞물리면서 정신을 빼놓게 하고 있다. 일일 총화도 몰려드는 피곤으로 헝클어지고 있다.

내용 있게 정리해야 할 필요성이 더욱 크다. 현재하고 있는 공감단 일이 무언가 무겁게 느껴진다. 체계상에 문제도 있겠지만 사람과 관계에서 오는 스트레스가 더욱 힘들게 한다. 자기중심적 사업 기풍을 배제할 수는 없는가? 혹 그러한 것이 이기심에서 발로하지는 않는지 모르겠다.

각각이 자기 자신의 할 바를 얼마나 분명히 해야 한다. 보여주기식, 외형적 사업작풍에 기우는 듯한 모습은 아니다. 극복되어야 하는데도 매듭 풀기가 쉽지 않다. 나 자신의 신망과 무게중심은 동료들로부터 어떤가!

1993년 1월 5일(화) 05:08

해는 바뀌고 1993년이 되었다. 동지들과 함께 보냈다. 정신없이 흘러가는 시간 속에 동지와 사업이 맞물려 가고 있다.

대선 투쟁의 과정에서 출범한 한벗회(안산한벗노동자회)의 93년 사업계획으로 정신없다. 모두 열심이고 헌신적이다

누적된 피로의 엄습으로 온몸이 부서져 내리는 듯하다. 어제는 시무식이 있었는데 출근하지 못하고 내리 지친 몸과 바둥대느라 하루를 보냈다. 두 달이 온통 일속에서 추스를 겨를조차 없이 흘러가 버렸다. 지금도 머릿속이 멍하니 무겁게 느껴진다.

차근차근 작은 것부터 하나하나 짜고 들자. 전신을 휘감는 무거움이 생각과 쓰는 것을 짓누른다.

1993년 1월 9일(토) 23:55

쉬이 잠들지 못하다가 늦게 잤다. 무엇이 잠을 설치게 하는가!

나는 무엇을 목표하고 방향을 세워 사업을 펼쳐 갈 것인가. 정치사상 의식에서 활동에 이르기까지 과학적이며 치밀하고 조직적인 사업을 실현할 수 있도록 노력해야 한다.

작은 시간도 허비하지 않아야 한다. 주체적으로 발로 뛰며 혁신적인 사업작풍을 가져야 한다. 주체의 전변, 생활의 전변, 활동의 전변을 온몸으로 이루어내야 한다.

낡은 사상의식의 잔재를 철저히 뿌리 뽑도록 자신과 비타협적인 투쟁이 제기된다. 봉건적, 자본주의적 정신과 생활 편향을 없애야 한다. 연구하는 자세, 찾고 공부하는 자세, 끊임없이 창조적 모범을 세워나가는 기풍이 중요하다.

이제 나는 새로워져야 한다. 지금까지의 관성적 정서와 행위로부터 분명한 단절을 이루어내야 한다. 조국과 민중을 절절히 가슴에 새기고, 이 땅의 투사답게 새로워져야 한다. 안일함과 정신적 해이로부터 온몸을 씻어내야만 한다.

생활 총화, 1시간 이상 학습, 1시간 이상 연구, 8시간 수면, 허비하는 시간 배제, 소박하고 허심한 자세와 태도, 기풍 확립, 모든 시간은 사무실에서 보낸다. 특히 저녁 시간 최대한 활용

한벗회 교육선전부를 맡았는데, 부족함이 없는 일꾼이 되도록

최대한의 경주를 다 해야 한다. 그뿐만 아니라 책임 일꾼으로서 전문성을 확보해야 한다. 교육선전 사업만큼은 나로부터 모든 것이 이루어지도록 (자료 취합, 창조적 방법과 방안 개척, 수도권 교육선전 일꾼 만남 강화, 능력과 자질에 부족한 부분 최대의 노력으로 보강, 주체의 것으로 철저히 소화, 체득)

사람과의 사업에서 정치사업을 앞세우고, 사랑과 믿음으로 이겨내자. 조국과 민중 앞에 부끄럽지 않도록 하자. 조국의 자주·민주·통일에 복무하는 관점과 입장에서 자신을 철저히 녹여내자.

- 재정사업(사람 확보) 최소 20개 소화
- 동문회(1조 모임)
- 학습(신노동정책 등...)
- 임투교육에 관한 준비 시작(안노회 12화, 수기노 15금, 성문밖 16토, 노련 18, 노협 19, 인천, 성남 등 방문은 설 이후에)
- 정세강연회 준비

1993년 1월 29일(금) 02:45

잠이 오질 않는다. 마음은 뒤숭숭하니 심란하다. 근래 나에게 나타나는 문제점을 찾고 살필 수 있어야 한다.

ㄱ) 집사람과 건강하고 발전적 관계를 조성하기 위해 나는 얼마나 노력하고 있는가. 고민과 실천적 노력을 하고 있는가!

- 서로에 대한 점검 부재(형식과 내용을 갖춘)
- 서로의 경향에 대한 깊이 있는 이해심 부족
- 일에 대해 적극적인 협력 부재
- 존경과 예의 결여 등의 문제가 두드러진 것 같다.

해결의 일차적 고리로 존칭과 경어 사용을 다짐한다. 더불어 말로만이 아닌 집사람의 처지에서 생각하는 자세를 갖도록 한다.

ㄴ) 조직 생활과 활동을 하는 사람으로서 무게 중심(의연함)을 잡지 못하고 흐트러진 모습들이 보인다. 하루 생활에 대한 계획과 총화가 반드시 있어야겠다. 학습 강화, 만남 강화, 일과 사업 주력, 운동하는 자 본연의 모습을 잃지 않도록 정신 무장의 강화가 필요하다. 크게 사고하고 바라보자.

ㄷ) 시간을 아끼자. 특별한 일 없이 얼렁뚱땅 보내는 시간이

많다. 시간을 잘 조직하자.

상담 교육, 조합방문, 노조·정책 담당자와 교선 일에 관한 잠깐 논의 확보

1993년 2월 9일 20:35

화요일 저녁이다.

사무실 책상은 일정하게 정돈되어 있고, 옆방에서 후련하게 외쳐대는 노랫소리가 가슴에 와닿는다. 93년 1월도 가고 벌써 2월 중순을 향해서 달려가고 있다. 바쁘게 살아가는 나날이다. 세차를 시작한 지 2주가 지났다. 금연을 시작한 지 2주가 지났다. 집사람에 대한 경어 사용이 자연스럽고 완전하게 정착하지는 못했으나 일정하게 진행되고 있다.

그간(3주)에 뚜렷하지 않은 무기력 상태에 빠져서 힘들었던 것 같다. 원인은 개인적 정서와 감정에 기인하지 않는가 싶다. 더불어 신체적 건강상의 문제까지 걸려서 더 그러지 않았나 싶

다. 여하튼 이러한 문제들을 인정한다손 치더라도 내가 삶의 중심을 분명히 세워내지 못하기 때문이라 생각된다. 사람이 생의 담백함을 가려낸다는 것이 얼마나 힘든 일인가. 이것저것에 연연하고 마음을 쓰다 보면 일이 더욱 꼬이게 된다. 왜 이토록 문제가 많은가, 반성하고 고쳐야 할 모습이 많은가, 참 답답하고 한심한 모습에 서글플 때가 많다. 상심한다고 풀리지 않는다. 혁신의 기풍을 세워내고 실천을 통해 이겨내는 도리 외에는 달리 길이 없어 보인다.

7공 정권이 들어서는 93년 정세를 어떻게 봐야 하는가? 임금투쟁, 단협투쟁은 어떻게 맞아야 하는가? 노조운동의 통일단결은 어떻게 이루어 낼 것인가? 조직 발전 전망에 있어서 93년은 어떤 지점에 놓이는가. 지난(5일) 93 정세와 노동운동의 방향이라는 김금수 선생의 강연은 여러 면에서 유익함을 가져다준 시간이 되었다. 강연내용을 취합해서 공유한 것은 좋았다. 이해를 높이는 데 도움이 되었다.

교육선전사업에 대한 능력 제고와 사업계획에 대한 치밀성을 세우도록 매시기 노력해야겠다. 정책적 문제에 대해 깊이 있는 고민이 요구된다. 필요성이 더해간다. 모든 사안에 좀 더 깊고 치밀하게 준비하는 자세가 일상화되어야 한다. 시간, 시간을 잘 조절하고 효과 있게 사용토록 하자.

1993년 3월 16일 02:45

냉장고의 작은 소음만이 귀를 성가시게 구는 늦은 밤이다. 컴컴한 방이 밝다. 허리를 일으켜 살펴보니 파워는 나갔는데도 VTR의 초록색 표시등이 밝음을 조장하고 있었다. 캄캄한 밤은 작은 표시등에도 방을 밝힌다. 잠이 달아났다. 형광등 불빛에 글을 쓰게 만들었다.

작금에 나는 스스로 정리되지 않는 여러 가지 생각들로 인해 번민에 시간을 잘근잘근 보내고 있다. 이러고 있어서는 안 되는데 하는 안타까움으로 온몸을 흔들어도 보지만 그 이상, 이하도 아니다. 이 나이에 이르도록 내가 한 것은 무엇인가. 난 무얼 할 수 있을 것인가! 이래 가지고야 승리하는 삶의 주인공으로 당당히 설 수 있겠는가!
운동적 삶, 운동에 대한 나의 능력과 한계, 더 잘하기 위한 현재의 내 모습, 동지애·관계의 주체로서 온전히 서지 못하는 초라한 나, 혁명적 동지애와 육친적 애정은 어디로, 대중을 주인으로 세우기 위한 민중적 사업작풍에 대한 이해와 체득, 오락 가락 갈팡질팡하는, 중심을 잡지 못하는 생각들로 힘들고 허망 하게 시간을 보낸다.

자주성·창조성·의식성을 지닌 사회적 존재로서의 사람. 집단 속 에서만 생명을 영위할 수 있는 생명체. 자본주의의 한복판에서 고상한 인간적 형상을 유지하고 발전하는 일은 어려운가. 한 사람. 한 사람에 존경을 가지면서 다른 한편으로 갈등을 빚는 것은 무엇인가! 애정과 믿음, 긍정을 통한 교정, 허리 건강을 실현하기 위한 방안.

공인중개사(전화를 통한 상담), 요가, 수영, 컴퓨터

허리 상태는 여전히 그대로다. 월·수·금 침을 맞은 지도 아홉 번이나 됐는데, 아직 뚜렷한 진전은 없다. 몸이 허해서 그럴 수 있다고 해 지난 13일부터 개소주를 먹게 됐다. 작금의 허 리 상태는 운동의 구체적 실현 방식에 많은 영향을 미칠지 모 르는데 분명한 완쾌가 있기를 빌어마지않는다. 돈에 여유가 생 기면 수영과 요가를 겸해서 해볼 생각이다.

컴퓨터는 체계적이고 전문적으로 좀 배워야겠다. 컴퓨터가 이런 거구나 하고 충분한 이해가 설만큼은 배워야겠다는 생각이 든다. 공인중개사는 경제적 문제를 해결하는 방안을 찾다가 나온 것으로 아버지 퇴직 후를 생각하셔서 더욱 권장한다. 부모님께 효도도 할 수 있으므로 한층 자격증을 따야겠다는 생각이 든다. 중개사를 따고 나면 다음 것에 도전해야겠다. 노무사, 속기사 이제 적극적으로 알아봐야겠다.

1993년 3월 30일 01:05

의연한(무게 중심) 기풍을 확고히 세우는데 마음을 다그쳐야 하겠다. 나약해진 모습의 원인은 스스로에 대한 태만일 것이다. 생명까지도 온전히 바치며 싸워간 동지들께 부끄럽지 않은 모습이어야 하지 않는가!

작은 것에 연연하고 흔들리는 모습이어서는 안 될 것이다.

사람의 마음은 참 변화무쌍한 것이다. 미묘한 정서상의 갈등. 내가 할 일을 조금씩 하자. 동지들께 부끄럽지 않도록 하자.

왜 이러는가? 또 나약한 모습에 사로잡히는 건 아닌가. 이런 모습이어서는 안 될 것이다. 무던하게 하자.

침술이 달라지면서 허리에 효과가 좀 있는 듯싶다.

1993년 4월 19일 23:55

착잡한 마음에 이렇게 살아서는 안 된다는 생각으로 글을 쓰게 된다. 글을 왜 쓰는지? 나 자신도 종잡을 수 없는 가슴 아린 허전함으로 그냥 이렇게 펜을 굴린다. 먹고사는, 가정의 문제로 너무 연연하고 있는 건 아닌가! 모두 이렇게 살면서 꿋꿋하기만 한데 말이다. 먹고사는 문제를 어떻게 해결할 것인가? 허리는 마냥 아프고, 이리저리 머리만 혼란스러울 뿐, 도대체 답이 보이지 않는 미로만 같다.

동생들 결혼식, 아버지 회갑, 전세금 마련, 의식주 해결, 교제비

5년에 천만 원 적금 6월부터. 신문, 우유, 세차, 도대체 어떤 것이 좋은가? 후원

경제적 문제에 대한 분명한 담보가 세워져야 하는데, 운동도 열심이지 못한 상태 아닌가! 학습에도 게으르고, 제반의 처리해 나갈 것들에 대해서 치밀하게 고민하고 해내지도 못하는 모습. 조금씩 나아지는 것 같지만 이래서는 안 된다.
1일 1시간 학습(무조건적 생활화)

1993년 10월 29일 17:00

몸 상태가 좋지 않아 출근하지 못했다. 이리저리 뒤척거리고, 이 생각 저 생각에 정리되지 않는 생각들로 어지럽다. 무언지 알 수 없는 짓누름에 담배만 죽인다.

사람이 사람 속에서 삶을 영위하건만 그로부터 나서는 어려움은 무언가? 운동은 사람 속에 있는데 혹시나 난 너무 무언가에 집착하지는 않는가? 내가 너무 원칙적이고 강성인가? 조직

을 중심에 놓고 모든 걸 사고하며 바라보고 실현코자 하는 게 문제인가? 현실에 대한 과학적 조망이 몇 발 앞서고 있는가. 상대에 대한 이해의 선은 어디까지인가. 나를 죽이는 부분은 어디까지여야 하는가. 혹시나 스스로 실무에 빠지는 것은 아닌가. 조직과 인간관계, 온몸이 부서지는 듯한 고통, 이 순간에도 스쳐 가는 생계의 문제.

23;00
감동, 끈끈한 인간애의 느낌, 내 삶의 여유와 눈물, 기쁨과 그리움의 눈물.
삶의 겸손함, 나를 비우는 것의 한계는 어디일까? 이로부터 난 자유로울 수 있을 것 같다는 강한 느낌이 전신을 사로잡는다.

1994년 5월 30일 02:15

노트를 펼치고 볼펜을 굴리면서 참으로 오랜만에 쓰는구나. 오디오에서도 꽃다지 4 노래가 은은하게 귓전을 때린다. 정신이 노래로 집중되지 않아서인지 가사가 선명하게 다가오지 않지만, 무심히 노래는 계속되고 있다. 다행히 벽시계가 없어서 초침 소리가 없으니 좋다.

맥주 한 병을 비웠다. 찬구를 씹는 맛에 이러저러한 생각이 흐른다. 중심을 세울 것에 요구가 강하다. 어쩌면 그 요구는 총화를 생활화할 것에 대한 비판의 목소리가 아닌가 싶다. 금주를 날짜별로 세분화하게 된다. 일에 쫓기듯 묻혀 가는 것이 아니라, 준비와 계획에 따른 생활과 활동이어야 한다. 매사 생각하면서도 제대로 하지 못하는 것은 게으르고 안일한 사상 의식에서 벗어나지 못한 모습이다.

벌써 94년도 6월을 앞두고 있다. 이래저래 바쁘게 살아온 시간이었고 열심히 살았던 것 같다.

이제 총화를 세우고 준비된 사업을 전개하자. 학습에도 좀 더 목적 의식적인 노력을 기울여야겠다. 주체형의 일꾼으로 깊고 넓은 포용력, 애정의 심화.

아기가 나올 때가 다 됐다. 이쁜 내 새끼, 얼른 보고 싶구나. 진한 애정을 어떻게 다 표현할 수 있으랴! 찬구야, 건강해라.

1994년 6월 8일 00:25

왠지 무언지 잘은 모르겠지만 펜을 들고 무슨 글자인가 적어야겠다는 답답함에 혼란스럽다.

지난 6월 2일 22:18분 찬구와 나의 이쁜 아가, 귀여운 아가가 태어났다. 정말 왜 이리도 이쁜가. 내 새끼를 바라보는 모습은 마냥 황홀하다. 뭐라 표현해야 좋을지. 마땅하고 적당한 말이 떠오르지 않는다. 시와 노래로 표현할 수 있는 인간은 아름답다.
나의 사랑 심찬구! 나의 사랑 아가!
둘 앞에 나는 어떻게 다가서야 하느냐!

나에게 글재주가 있다면, 나에게 음악 재주가 있다면, 내 너를 쓰고, 노래하고 싶구나. 아빠의 부족함이 애석하기 짝이 없다. 너와 찬구에 대한 사랑이 짜릿하다. 역류하는 뇌의 자극이 솟구친다.
이쁜 여장부 우리 아기, 아빠는 눈물이 난다. 기쁘고도 애달픈 눈물이 글썽인다. 너를 옆에 두고 마냥 함께하고 싶구나. 내 사랑 내 아가, 못난 아빠여서는 안 될 텐데.

찬구야,
내 사랑 찬구야.
난 진정 못난이가 되지 말아야 할 텐데, 자랑스러운 남편, 자랑스러운 아빠가 되어야 할 텐데.

인간은 무얼까?
인간의 시작과 끝의 한계는 어디에서 비롯되며 발현하는 걸까?
젖어 드는 눈물에 닿지 않는 이 순간이 아프다.
그냥 이렇게라도 적는 모습이 서럽다.

1994년 11월 28일

03:07분이다. 잠이 오질 않는다. 술 한잔, 컵라면, 사과 1개, 달걀 1개 이렇게 먹는다. 왜 먹는가? 배가 고파서, 잠을 자기 위해서, 무얼 위해.

참고 인내하라 했던가. 어려울수록 묵묵히 걸으면 끝내는 이긴다고 했던가!

나는 도대체 어떤 놈인가, 무얼 위해 있는가.

어쩌면 지금까지 걸어왔던 삶의 자취가 이렇듯 헐거운가! 나에게 더욱 충실해야 하는데도 난 그러하지 못한 모습을 끊임없이 발견한다. 단지 이를 페인트칠하는 것으로 꾸며 온 건 아닌가.

썩어 문드러지고 싶다. 타락의 끝으로 더 이상 갈 곳 없는 데까지 가고 싶다. 그렇게 해서 나를 찾을 수 있고, 발가벗겨질 수 있다면, 나의 모든 것이 나를 구속하는 것으로 옭아맨다. 사랑하는 모든 것들이 슬프게도.

죽고 싶은 생각은 생각만인가! 나의 용기 없음에 슬퍼지는 인생(人生)이여.

인생은 살만큼 아름답다 했는가! 어떻게 하면 살만큼 아름다워지는가! 사람의 척도는 무엇이며, 삶의 척도는 무엇인가! 무엇이 나를 이토록 구속하는가!

어쩌면 그런 건지도 모른다. 살고 있고, 사람 속에서 그리고 생각하는, 정의를 갈구하는.
거기에 나를 맞추며 행위하고 말하는 것이리라. 진정한 자유로움은 무언가? 우문이겠지.

면벽 십 년 도사나 X세대가 자유이지 않음은 분명한 것이고 죽음은 도피 이상은 아닌데, 그런데 왜 이런가. 솔직하지 못한 자기의 삶(생각 + 실천)에서일 거다. 그렇다면 어떻게 하는가? 이 모든 걸 다 죽여야 하는가? 어떻게?

지금의 존재로부터 도망해 볼까? 그러다 거기에 맛붙이는 건 아닐까? 자고 나면 또 그런 내 모습으로 될 거다. 썩고 부패하여 문드러진 정신과 육체로. 그러지 말자. 아냐, 난 아직 멀었어.

※ 안산 반월공단, 시화공단에서 노동자, 노동조합, 자주, 민주, 통일 등 활동하고 투쟁하던 시기였다.

노동운동은 학생운동의 연속선상에서 너무 자연스러운 과정이었다. 처음 내려간 지역은 평택이었다. 만도, 한라 등 대공장이 있었다. 계획했던 취업이 어려워지면서 안산으로 옮기게 되었다. 4호선 주변은 황량했다. 찬 바람이 불었다. 1989년이었다.

안산지역에는 안양지역노동자회를 비롯해 여러 그룹이 활동하고 있었다. NL그룹은 1992년 10월 안산한벗노동자회를 출범시켰다. 나는 창립 교육선전부장을 맡았다. 노동학교, 역사교실를 자체의 힘으로 조직하고 진행했다. 94년 전노협 경기노련 안산지구협의 차장으로 파견되었다. 지역노조 연대조직은 두 개로 분화가 되었고, 공대위의 사무차장으로서 실무를 총괄했었다.

노동자들과 생활은 행복했다. 여러 사업장의 노동자를 만나고 의식화, 조직화에 노력을 기울였다. 노동조합 간부를 묶어 세우기 위한 노력을 많이 했다. CT100오토바이를 타고 반월, 시화공단을 매일같이 돌던 때였다.

- 1992년 노동학교 수련회 중에 -

어릴 적에

2006년 4월 18일(화) '개구쟁이'

기억을 더듬어 본다. 아스라이 어렸을 적 기억을 떠올려 본다. 어렸을 때 기억은 왠지 행복하고 아름답게만 그려진다. 나는 개천과 다리에서 논 기억이 유난히 많다. 아마, 집이 고창천 옆이었다.

고창 읍내 장날(3일, 8일)이면 농협 근처 다리에는 지게보다 아주 높게 쌓아 올린 나무가 팔리기를 기다리고 있었다. 어쩌면 그렇게 높이 쌓아 올렸는지 신기했다. 읍내까지 크고 무거운 나무를 지고 온 것도 신기하고 놀라웠다. 지금 생각해도 대단하다는 생각을 지울 수가 없다.

구슬치기, 쌈치기, 딱지치기 등 참 많이 하고 놀았다. 검정 고

무신을 신고 개천 옆 길가에서 구슬치기, 쌈치기, 딱지치기하면서 놀고 있는 모습은 지금 떠올려봐도 재미와 웃음이 저절로 번진다. 구슬치기, 쌈치기, 딱지치기 등 여러 가지 놀이를 꽤 잘했던 것으로 기억한다. 만화책도 많이 봤다.

초등학교 입학 전에 부모님이 풀빵도 팔고, 자장면도 팔았다. 나는 찬장에 올려 논 돈을 슬쩍 훔쳐다가 과자 같은 걸 몰래 사 먹곤 했다. 그러다가 어느 날은 엄마에게 들켜서 도망가느라 동네 한 바퀴를 돌았다. 엄마에게 맞지 않으려고 열심히 뛰었다. 이 일로 나는 못된 손버릇을 고치게 되었다.

병원에 갈 때면 엄마 등에 업혀 있었다. 아픈 치레를 많이 했던 나는 곧잘 엄마 등에 업혀서 병원에 가곤 했다. 중앙병원하고 동산병원인가 싶은데 간호사 누나가 이쁘고 친절했던 기억이 있다.

생각해보면 언제 죽을지도 모르는 자식으로 부모님의 마음이 얼마나 아프고 힘들었을지 아득하다. (3살 때 했던 수술에 대해 병원에서 암으로 진단했다. 암이라는 아이가 크고 있으니 대견하면서도 한편으로 초조하고 불안한 마음은 미루어 짐작이 간다)

어느 날은 엄마가 자장면 일을 하다가 집으로 들어갔다. 그리고 우리 막내 민주가 태어났다. 애 낳는 날까지 일하다가 혼자서 막내를 엄마는 낳았다. 지금으로서는 상상도 하기 어렵다. 그 시절에는 그런 장면들이 전혀 대수롭지 않았다. (한겨울에 나를 낳고 차가운 물에 피범벅이 된 빨래를 했다고 하니 말해 무엇하겠는가!)

동네 친구들하고 재미나게 논 기억은 지금 생각해도 아름답고 즐거운 추억이다. 밥 먹는 것도 잊고 늦게까지 동네에서 술래잡기 등 온갖 놀이를 하면서 놀았다. 제비, 박쥐도 많았다.

지금처럼 물질문명이 풍부하고 첨단화되지 않았지만, 그냥 신나고 더불어 재미있는 세상이었다. 사람 사는 동네는 물질적으로 조금 부족하고 가난하더라도 이래야 한다는 생각이다.

2006년 4월 29일 '고딩의 분노'

고등학교 1학년 때쯤이었다. 교회 근처에 있었던 나는 빠르게 지나가는 아버지를 볼 수 있었다. 아버지에게 욕한 놈을 만나서 어떻게든 사과를 받아 내고자 하는 발걸음이었다.

아버지는 법 없이 살아도 될 만큼 착한 분이라고 어렸을 적부터 많이 들었다. 그런 아버지가 얼마나 화가 났으면 작정하고 쫓아갔을지는 알만했다.

아버지가 읍사무소에서 근무하셨는데, 나이 어린 사람이 상사라는 이유로 아버지께 함부로 대하고 전화하면서 욕까지 한 것이다.

그 사람에 대해 이야기를 들어서 알고 있었던 나는 부랴부랴 아버지를 뒤쫓아갔다. 여차하면 그 사람을 혼내주겠다는 생각이었다. 그 사람은 아버지 앞에서도 잘했다고 큰소리를 치는 것이었다. 멀찍이서 지켜보던 나는 더 이상 지켜보고만 있을 수 없었다. 너 이 새끼 죽인다고 소리치며 달려들었다. 그 사람은 놀라서 근처에 있던 파출소로 들어가 몸을 피했다.

파출소에서 전후 자초지종을 따졌다. 나는 학생인 관계로 먼저 나가라고 해서 나오고, 경찰의 중재로 아버지와 그 사람이 어떻게 정리가 되었을 것이다. 아버지가 임시직이어서 겪어야 하는 설움이었다.

고등학생 시절은 사회의 부조리와 부정의에 대해 실망하고 혼돈을 겪는 시절이었다. 나름대로 가치관을 세우고 정립하면서 의로운 삶을 살겠다고 다짐하고 노력했지만 쉽지 않은 시절이었다.

많이 흔들리고 어려웠던 것 같다. 그 시절 그렇게 자신만만했던 내가 교회까지 나가게 되었다는 사실은 정신적, 정서적으로 쉽지 않았고 많이 흔들리며 괴로운 시간이었음을 반증하는 것이었으리라.

그러던 상황에서 그 일은 어른이 되면 그 사람을 반드시 혼내주리라 생각했었다. 기본과 상식이 없는 인간들은 예나 지금이나 좋아하지 않는다. 비겁하고 비굴한 인간은 싫다. 사람으로서 가져야 할 믿음과 의리가 헐거운 것에 대해 예나 지금이나 나는 분노한다.

이런 내 성향은 정치판과 어울리지 않는다. 그런데도 운동의 필요성으로부터 내 역할을 가지려고 하고 있다.

2006년 5월 3일(목) '교회 나가다'

고2, 3월 20일경에 교회를 나가게 되었다. (기억이 정확하지는 않다) 친구들 사이에 내가 교회를 나가게 된 것은 작은 화젯거리가 되었다. 그도 그럴 것이 중학교 시절에 교회를 비롯해 종교에 대해 아주 강하게 비판하던 세 명이 있었다.

교회를 비롯해 종교를 믿는 것은 기본적으로 자기 자신에 대해 자신감이 없는 것이며 미신을 믿는 행위 같다는 주장이었다. 하느님, 종교에 대한 믿음을 갖지 못하면 무슨 큰 죄가 있는 것처럼 하는 것에 대해 강하게 비판했다. 세 명 중에서 내가 유독 종교에 대한 비판의 강도가 센 편이었다. 교회 다니는 친구들에게 때로는 비난에 가까울 정도로 강하게 면박을 주곤했었다. 그러던 내가 교회를 나가게 되었으니 친구들이 놀라지 않을 수 없었다. 특히나 강하게 비판했던 두 친구는 실망과 배신감도 가졌을 듯싶다.

고 1 국민윤리 교과서 앞부분에 가치관, 주관에 대한 교양이 강하게 각인되었다. 인생에 가치관을 분명하게 세우려고 했다. 학생으로서 그 신분에 맞는 가치관을 가지려고 노력했던 시기였다. 그러한 노력에도 불구하고 소위 말하는 질풍노도 사춘기 시기는 쉽지 않았다. 사회의 부정의와 비리 그리고 집안의 경제적 가난 등 삶의 제반 무게로부터 오는 정신적 어려움은 혼자 헤쳐 나가기에 많은 어려움이 있었다. 자연스레 교회 친구들에게 교회에 대해 이것저것 묻고 관심을 표명하다가 결정을 내리게 되었다.

10대 고등학교 시절에 갈등과 방황은 깊고 길게 이어졌다. 성적인 유희, 폭력적인 뽐냄, 정서적 갈등, 삶의 고뇌 등 그러다가 한순간에 청소년 범죄의 나락에 떨어지게 된다. 대수롭지 않게 생각하고 한 행동이 남은 인생에 큰 결과를 초래하게 된다.

교회는 이러한 시기에 나를 붙잡아 준 역할을 하였다. 그리고 신학대로 이끌었다. 지금은 교회를 다니지 않지만, 종교(교회)가 가지는 긍정이 있기에 나는 지금도 가족이 교회를 비롯해 종교에 나가는 것에 반대하지 않는다. 다만, 과한 것은 금물이다.

종교는 아편이라는 말도 있지만 종교가 사랑과 평화를 나누는 공동체의 본성에 충실하기를 예나 지금이나 간절히 바라고 있다.

- 고창읍교회의 인연이 이어지고 있다 -

2006년 지방선거 그리고

2006년 5월 30일 '제4회 지방선거'

안양역 아침 유세를 진행했다. 사람들과 악수하는 일이 많이 익숙해졌는데도 가끔은 상대를 헤아리게 된다. 손을 내밀었는데 가끔은 냉정하게 뿌리치는 손길에서 마음속 절벽을 느끼게 한다. 선거운동은 힘 있게 해야 한다. 서로에게 힘이 되어야 한다.

아침은 육개장과 설렁탕으로 대신했다. 임정옥 님이 중앙당 국회의원들에 대해 불만을 토로한다. 어제는 중앙당 사무부총장에게 전화해서 경기도 안양권 지원 유세가 없는 것에 대해 항의했다고 한다. 동감을 표시했다.

안산, 군포, 안양, 광명으로 이어지는 유세코스는 시간도 많이 들지 않는다. 그런데도 국회의원과 최고위원은 코빼기 한 번

보이지 않는다. 광역단체장과 울산, 경남, 광주 등에만 치중하고 있다. 수도권에서 국회의원, 시장이 나오지 않고 집권을 논한다는 것은 어불성설이다. 경기도 8명의 기초단체장 후보의 절반이 모여있는 지역이다.

그래도 우리는 열심히 재미나게 잘하고 있다. 당과 진보를 사랑하는 동지들의 열정이 항상 감동 그 자체다. 하루 종일 만안구를 돌았다. 최대한 샅샅이 훑었다. 상가 이름과 사장님, 종업원, 노동자의 지지를 호소했다. 재미있어하고, 손을 흔드는 손길이 많다. 아이들도 덩달아 신났다. 오전, 오후 계속해서 외쳐대는 목소리도 힘들지만, 차량 위에서 균형을 유지하는 것도 보통 일이 아니다. 무릎 관절에 통증이 느껴진다.

김도영 님이 부림중학교 체육행사에 잠깐 인사가 필요하다는 요청이 왔다. 부림중학교 체육대회에서 어머니들을 만났다. 한나라당에 대한 인식의 한계가 안타깝다.

5시 안양역, 6시 비산사거리 유세를 진행했다. 지나는 차량에 손을 흔들고 수없이 인사를 했다. 신나는 율동은 언제나 힘이다. 8시 범계사거리로 자리를 옮겼다. 성병화 님의 사회로 후보들의 인사가 이어졌다. 신나고 재미나는 유세다. 최봉현 후보 요청으로 범계역 유세를 조금 더 진행했다.

한나라당의 박광진 도의원 후보 유세와 자리에 충돌이 있었다. 박광진이 박정희 독재 찬양을 펼친다. 인권탄압이 있었어도 경제를 살린 대통령이고, 자기도 그럴 것이라 한다. 한나라당 도의원 후보라는 자의 인식이다. 젊은 사람이 참 안 됐다. 씁쓸하다. 폭력과 고문에 어떤 반응을 보일까 궁금해진다. 배고픈 소크라테스보다는 배부른 돼지가 좋다고 주저 없이 주장하는 한나라당이다.

범계역 상가를 한 바퀴 돌고서 선거운동 정리 집회를 진행했다. 이렇게 선거가 끝나고 있다. 지난 3월 19일 예비 선거운동부터 시작된 선거 일정의 대장정이 끝나가고 있다.

2005년 계속된 지방선거 논의와 준비는 길고 지루하기까지 했다. 후보 준비가 있었고, 동안구, 만안구 논의가 있었다. 경기중부협 수련회 등을 통해 당적 선거의 중요성에 대해 이해를 높였다. 안양은 가장 발 빠르게 선거 일정에 대응했다. 시장, 시의원 출마 기자회견으로 여론의 환기를 조성했고, 김용한 도지사를 처음으로 모셔서 언론의 조명을 환기했다.

3월 6일 후보 선출대회를 통해 예비 선거운동 기간 전에 당력을 모았다. 민주노동당 시장 선거운동은 안양시 기초의원 선거구에 빠짐없이 후보를 내고 돕는 데 집중했다. 70여 일을 쉼 없이 뛰고 달려 온 후보들에게 존경과 감사의 인사를 보낸다.

안양1,3,4,5,9동의 이종규 / 안양6,7,8동의 박사옥 / 안양2동, 박달1,2동의 이시내 / 석수1,2,3동의 이민선 / 비산1,2,3동, 부흥동의 김한구 / 관양1,2동, 달안동, 부림동의 박상선 / 갈산동, 귀인동, 범계동, 평안동, 평촌동의 최봉현 / 호계1,2,3동, 신촌동의 심찬구

투표 결과에 따라 후보의 명함이 엇갈릴 수도 있겠지만 선거운동은 그 자체로 소중하고 값진 경험이 되었다. 승리다. 기초 비례후보로 열심히 뛰어준 김진선, 윤용중 후보의 노고는 당의 자산이다.

선거운동 유세 과정은 감동의 연속이었다. 가슴 속에 뜨거운 동지애가 뭉클뭉클 솟구쳤다. 당 동지들에 대한 고마움, 대중에 대한 믿음이었다.

선거가 끝나면서 고맙고 감사드려야 할 동지들이 너무 많다.

선거를 총괄 지휘하면서 당 발전을 위해 전력투구한 정성희 위원장, 쉼 없이 발로 뛰면서 후보를 보필한 김상현 동지, 물리치료를 받으면서도 정성을 다한 임정옥 동지, 일하는 중에도 틈만 나면 함께 뛰고, 목소리 높여 연설하는 김도영 동지, 새벽일로 고단함에도 열심히 차량을 운전해준 김충희 동지, 오산과 학원을 넘나들며 결합한 장이석 동지, 희박한 당선을 당에 충성으로 다한 윤용중 비례후보, 그리고 이재남 위원장, 이민호 동지, 김진선 비례후보, 전병태 동지, 김창호 지역장을 비롯한 노점상 여러분, 송찬길 노동위원장, 하정애 님 등 각 선본에서 최선을 다한 당원동지들, 너무 많아서 일일이 거론하기가 어렵다. 정신이 없어서 혹여 이름을 다 거명하지 못한 동지들께는 죄송스러운 맘을 전하고 싶다. 무엇보다 맡은 바 자리에서 역할을 다하고 있는 당원동지들이 보배다.

이 자리를 빌려 세 아이 등쌀에 힘들었던 부모님과 엄마, 아빠 품을 떠나 고생한 아이들, 가족들에게 고마운 인사를 전하고 싶다.

당원동지들! 민주노동당은 선거 그 자체로 승리했다. 고맙다. 대단히 고맙다. 안양시민들의 지지와 성원에 다시금 존경과 감사의 인사를 드린다. 이제 내일 투표는 투표로써 또 한 번 민주노동당의 승리를 안아 올 것이라 믿고 확신한다.

2006년 7월 14일 '지방선거가 끝나고'

선거 끝난 지가 한참 되었다. 그런데도 마음이 붕붕 떠 있다. 도무지 한자리, 한곳에 집중이 쉽지 않다. 어쩌면 이렇게 글을 쓰는 일도 못내 힘을 내는 것이다.

그 사이에 고향 친구가 죽었다. 뭐라 표현할 수 없는 안타까움과 슬픔이 있었지만, 막상 영정사진을 대하고서는 멍하니 느낌을 잃었다. 사는 게 이런 것인가!!

정말 안타까운 시간이다. 그러한 시간이 허무하게 소진되고 있다. 선거의 소중한 경험과 자산이 태풍에 휩쓸린 들판처럼 텅 비어 버렸다. 텅 빈 마당엔 헐뜯기, 욕설, 왜곡, 굴절, 비난, 배설, 매도, 죽이기 등등만이 가득하다.

나는 그냥 허무와 공허감에 일체 손을 대기가 싫다. 모든 것에 손을 놓고 싶다. 선거가 끝난 이후에 곧바로 그만두려고 했던 생각을 실천에 옮기지 못한 게 아쉽기만 하다. 실기했다.

어떤 게 조직을 위하고 당을 위하는 것인지 쉽지 않다. 어떤 상황과 조건에서 그에 부합하는 거취와 입장을 결정하는 것이 쉽지 않다. 이 또한 교훈인가!

분명한 사실은 그때 곧바로 입장 정리를 했더라면, 당 조직이 소중한 시간에 엉뚱한 것으로 세월을 소진하진 않았을 것이다. 내가 바보다.

진보와 운동에 모든 것을 던지고 살아온 삶이 아프다. 경제적 고통과 사람 관계에서 아픔을 얼마나 이해할 수 있을까. 세월을. 진보 운동 속에서 동부라는 조직의 패권주의에 경악을 금치 못하고, 자유방임에 또 한 번 살을 데였다.

주민 속으로! 지역 속으로!

어떻게 당과 당원이 녹아들어 갈 것인가? 어떻게 사업할 것인가 하는 절체절명의 과제가 상실되었다.
희망이 작아만 보인다. 중앙당도, 도당도, 지역도 밝은 빛이

약해져 가는 듯하다. 어떻게 해야 건강하고, 새롭고, 희망이 있어 보일까?

나는 오늘도 전화로 도움을 청했다. 무거움 가득 담아서, 정신은 산만하기 그지없다. 횡설수설이다.

2006년 8월 7일 '먹고 살아야 하는데'

작년 5월경에 그나마 살던 전세보증금을 3천에서 2천5백으로 줄였다. 차액 5백은 운동한다고 부족한 생활비로 사용되었다.

작년 10월경인가 민주화 보상금으로 7백여만 원을 받았다. 삶이 곤궁할 때면 그때마다 조금씩 숨 쉴 기회가 찾아왔다. 이럴 때면 하나님이 나를 돕고 있지 않나 하는 생각을 하게 된다.

그 돈도 이제 다 까먹어 간다. 이제는 또 어떻게 해야 하는가? 부모님께 도움도 되지 못하면서 자식 노릇을 한다고 꼴값이다. 아이들 셋은 또 어떻게 키워야 하는가? 위원장 활동비를 돈 100만 원이라도 받아야 하는가? 아니면 취직해야 하는가? 이제 마누라가 돈 버는 전선에 뛰어드니까 거기에 기대야 하는가? 마누라 돈 버는 것도 게시판 찌질이들 때문에 2달이나 늦어졌다. 먹고 사는 것도 힘들게 만드는 나쁜 놈들이다.

여하간에 신용불량에 빠지지 않으려면 대책이 세워져야 한다. 설상가상으로 선거 후 갚아야 할 많지 않은 돈도 버겁기만 하다. 에고! 그래도 세상은 간다.

2007년 4월 11일 '봄의 기운을 느끼고 싶다'

2006년이 지나고 2007년이 되었다. 해가 바뀌었어도 당내 허접한 꼴은 계속되고 있다. 나의 환경은 많이 바뀌어 있고, 세상은 또 그렇게 흘러가고 있건만 못된 당내 상황은 여전하다.

확연히 벗어나고 싶다. 바뀐 새해만큼이나 상큼하고 아름다운 봄을 갖고 싶다. 작년 10월부터 공장에서 일하고 있다. 오랜만에 공장에서 일하게 되었지만, 공장은 크게 나아진 게 없다.

중소사업장의 형편은 예전에 비해 오히려 낯설다. 일하는 사람들의 절반이 이주노동자이기 때문이다.

세상과 일정하게 단절하고 살아가는 삶은 못내 간단치 않다. 성수동 작은아버지께서 췌장암 진단받고 죽음의 고통 속에 힘들어하고 있다. 벌써 몇 년째 암 투병 중인 한무리 최 목사는 암이 더욱 퍼졌다는 소식이다.

죽음의 고통에서 인내하는 분들에게 나는 아무런 존재도 아니다. 그냥 바라보는 먼 산에 지나지 않는다. 그것이 삶을 더욱 아프게 한다. 작은아버지께서 암이라는 소식에 부모님에 대한 걱정이 앞선다. 상심이 얼마나 크고 아플 것인가. 어머니의 허리, 다리에 대한 고통은 뾰쪽한 해결책이 보이지 않는다.

뼈와 살을 에는 삶의 버거움이다. 고통으로 밤잠을 설친다. 문제는 이 상황에서 내가 아무런 도움도 역할도 하지 못하고 있다는 사실이다. 괴로움, 안타까움과 자괴감만 쌓고 있다.

3월 6일 자로 선홍이가 사장으로 있는 화성시 플라스틱 재생공장으로 일자리를 옮겼다. 사람의 인연이 닿아서 만남이 있고, 함께 일터를 키워가기로 했지만, 쉬이 좋아지지 않는다.

이렇게 저렇게 고치고 방안을 찾아가는 시간이다. 잘되어야 한다. 이 자리에서 더 힘들어지고 싶지는 않다. 가족들의 고생이 커지기 때문이다.

김영근 동지

2007년 5월 18일 '사라진 김영근'

아프고 아린 마음을 어디에 놓아야 할지. 씁쓸하다. 가슴에 황량한 바람이 분다.

어제는 김영근 동지의 집을 찾아갔다. 가봐야지 가봐야지 하면서도 가지 못하고, 전화와 문자만 남겼다. 전화도 받지 않고, 문자에도 반응이 없었다. 혹시 무슨 사고가 있는 건 아닌가 걱정하면서도 들리는 전화벨 소리에 안심하곤 했었다.
3월에 전화 통화를 했었는데. 찾아간 집에 불이 켜져 있기에 그가 있는 줄 알았으나 나이 든 아저씨가 문을 열었다. 아저씨가 지난 3월에 이사를 왔단다.

너무 당혹스러웠다. 서운한 생각보다는, 그가 가졌을 패배감이

나 좌절 의식이 더욱 아프게 다가왔다. 걱정이 크다.

2009년 6월 9일 '김영근 동지에 대한 걱정'

내게는 아름답고 소중한 친구가 있다.

그 친구는 내가 학생운동을 마치고 현장(노동)에 투신해서 만났다. 현장(노동)에는 학생운동을 거치고 온 현장 활동가와 학생운동을 거치지 않은 현장 출신 활동가가 있다. 이 친구는 현장 출신 노동운동가다.

비슷한 연배이기에 친구라 생각하고 편안하게 지내온 사이인데 2006년 지방선거 이후에 상당히 힘들어했다.

1991년경에 처음 만난 걸로 기억한다. 키는 조금 작고 축구를 잘해서 축구공이라는 별명이 있었다. 안산에 있는 우신공업(자동차부품공장)에서 노동조합 간부로 활동했다. 구사대와 공권력의 침탈로 노동조합의 파업은 깨졌다. 여러 간부가 구속되었고 친구도 힘든 시간을 보내게 되었다.

투철하고 올바른 노동운동 관을 가지고 있으며, 실무 능력까지 갖춘 훌륭한 친구인데, 근래에 알 수 없는 사정으로 마음에 심각한 상처를 받은 듯 보인다. 무척 힘들어하고 있다.

결혼해서 배우자와 아이라도 있으면 조금 낫지 않을까 싶기도 한데, 지난 청춘을 노동해방투쟁에 모두 던지고 이제 상처받은 마음만 남은 것은 아닌지 걱정스럽다.

지난 일요일 저녁이나 같이 먹자고 집사람을 통해서 연락했는데, 사람 만나는 게 싫은 느낌만 전해졌다고 한다. 나도 전화하고 문자를 남겼는데 아무런 응답이 없다.

어제는 블로그에 통하기로 그 친구를 클릭했더니 없는 주소로 나왔다. 블로그까지 폐쇄하니까 너무도 걱정스럽다. 집도 어디인지 모르고 이제 그 친구하고 연락할 방법이 없다. 아아, 어쩌면 좋을지 모르겠다. 이럴 때면 마음이 너무 아리다.

김 동지, 연락 좀 주시라.
어이 친구야, 친구 말마따나 사는 거 뭐 있다고 그래.
우리가 언제 부귀영화를 쫓거나 누리자고 살았던가!
이 사람아 주변 사람까지 아프게 하지 말고
연락해! 자꾸 만나야 해!

※ 2024년 5월 초, 김영근 동지는 강동성심병원에서 '소세포 폐암'이라는 병명의 진단을 받았다. 뇌로 전이된 상태라고 했다.

역사둘레길 모임 신바람 회장 김영근 동지는 지난 몇 년간 백두대간을 등정하는 등 건강한 체력을 자랑했었는데, 상상할 수 없는 상황에 맞닥뜨리게 되었다. 다니던 직장도 그만두어야 했고, 살던 집도 내놓았다. 혼자 기거할 수 있는 형편이 되지 못했다. 병원과 가까운 형 집에서 요양하며 병원 치료를 진행하고 있다.

삼십 년이 훌쩍 넘었다. 그 세월 동안 작은 것에서 큰 것에 이르기까지 우리가 함께한 그림이 너무 많다. 생활과 조직, 활동과 투쟁 등 응원하고 함께했다.

'내 몸의 절반이 무너져 내리는 듯한 느낌'이라고 말한 김대중 대통령의 말이 생각났다. 그 정도까지야 아니겠지만 나는 심각한 무력감에 빠졌다. 목숨이 붙어 있으니 살아지기야 하지만 어떤, 무언가를 하려는 의욕과 의지가 바닥에서 놓이고 헤맸다.

'기적'은 있는 일이야, 주문하고 있다.

아이들

2007년 7월 18일 '웃음 주는 아이들'

월(16일)에는 아이들로 행복의 미소와 향기가 집안 가득했다. 부모 마음이 이런 것이려니 하는 생각에 기쁨이 두 배로 커졌다.

유진이가 엄마에게 1학기 시험 전체를 합해서 반에서 1등을 했다는 문자를 보냈다. 열심히 혼자서 공부하는 딸아이의 노력에 큰 보탬을 주지 못하는 아빠다. 미안한 마음이 스친다. 학원이나 뭘 해줄 수 있는 형편이 아니다. 유진이는 불평이 없다. 혼자서 열심히 해서 1등을 한 것이다. 그러고도 유진이는 1학년 전체 1등이 아니라는 말을 계속한다. 엄마가 영어나 수학에 대해 같이 공부하고 도움을 줄 수 있어서 다행이다.

열심히 하고 욕심을 갖는 유진이에게 1등이 중요한 것이 아니라 최선을 다하고 그것에 기뻐할 줄 아는 사람이기를 아빠는 더욱 바란다는 말을 해주고 싶었다. 입시 위주, 경쟁 위주의 교육 대열에 유진이가 함께 하지 않기를 바란다. 자칫 열심히 공부하는 딸아이의 뒷바라지를 제대로 못 해주는 부모로 비치게 하는 한국 교육의 현실이다.

병준이는 해동검도 1단을 증명하는 패와 증을 가지고 왔다. 합기도 1단을 3학년 가을에 땄는데 이번에 검도 1단을 딴 것이다. 병현이는 검도 1단을 증명하는 명패와 형 이름이 새겨진 검은띠가 무척이나 부럽다. 자꾸 형의 띠와 패에 손을 댄다.

동생들은 누나의 1등에 대해 축하와 박수를 보냈다. 병준이의 1단에 대해서도 축하와 박수를 보냈다. 병현이는 누나와 형에 대해서 부럽겠다고 했더니, 자기는 잘 생겼다는 말을 보태서 온 가족이 웃음을 짓게 했다.

기다림이다. 최대한 느긋하게 여유를 갖고자 한다. 생활에서 먹고 사는 문제는 아주 중요하다. 절대적 영향을 미친다. 일상이 이것에 꽉 조여 있다. 워낙에 가난과 없음에 길들어 살아온 인생이지만 시간이 흘러도 쉽지 않다. 계속해서 내공을 키우고도 닦기의 순간을 반복한다.

인생의 전부라 할 수 있는 운동에 설왕설래 마음은 가지만 그저 지켜보는 시간이다. 당에서 벌어지는 모양들은 참으로 해괴한 일이 많다. 패거리 의식으로 찌든 행태의 천박함이 도를 넘는다. 마음에 큰 분노는 꾹꾹 짓누르고 있다. 일상의 작은 행복에 마음을 싣고 있다.

2009년 5월 9일 '공부 그리고 유진이 눈물'

앞 좌석에는 아빠가 운전하고 병준이가 앉았다. 뒤에는 엄마와 유진이, 병현이가 앉아 있다. 4일 연휴는 대부분 쉬는 날이었으나 유진이가 시험을 보는 관계로 우리는 오후에 가평 수덕원을 가게 되었다. 다른 식구들은 전날 수덕원에 도착했다. 우리는 하루 늦게 가는 길이었다. 그래도 차 안의 분위기는 설렘과 수다, 시끄러움으로 가득했다.

아빠의 썰렁 개그(딸 표현)와 왁자지껄하던 중에 중학생 6명이 시험 보기가 싫고 무서워서 농약을 먹기로 했는데, 두 명은 먹고 네 명은 두 명이 힘들어하는 걸 보고 먹지 않았는데, 두 명 중 한 명은 죽고, 한 명은 중태라는 이야기가 있었다. 아빠는 유진이가 시험으로 스트레스받지 말았으면 한다. 할머니, 할아버지, 엄마, 아빠 누구도 네가 시험이나 공부 같은 것으로 스트레스받고 힘들어하는 걸 원하지 않는다고 말했다.

갑자기 유진이가 울기 시작했다. 서럽게 운다. 아빠는 왜 우는지 깜짝 놀랐다. 유진이가 왜 그러냐고 물었는데, 엄마는 시험과 관계된 이야기를 아예 하지 말라고 했다. 유진이는 시험이라는 말에 눈물이 저절로 흘렀고, 또래들이 농약 먹었다는 말에 한없이 눈물이 났다. 또래들 생각과 아픈 마음이 전이되면서 그저 눈물이 흘렀다.

유진이는 1, 2학년 반에서 1등을 하고 전교에서 3등까지 이르렀다. 아무도 공부하라고 말하거나 다그치는 사람이 없었는데도 무거운 중압감에 눌려 있었다. 현재 성적을 유지하는 것뿐만이 아니라 전교 1등까지 해야 한다는 중압감이 컸다. 유진이는 중간고사에서 두 문제만 틀렸다고 한다. 공부 좀 한다고 하는 아이들이라면 요즘 세상에 영어든, 수학이든 학원에 다니지 않는 학생이 얼마나 될까? 유진이는 일체 학원을 모른다.

오히려 방학 때는 합기도를 다니고 특별히 시험 기간이 아니면 걷기, 배드민턴 등 건강관리에 신경을 더 쓰는 편이다.

학원에 가지 않으면서 1등 하는 유진이에 대해 친구들을 비롯해 주변에서 모두 신기해한다. 어쩌면 유진이는 이런 모든 것들이 자기 자신에게 큰 압박으로 작용했을 것이다.

아빠는 유진이에게 지구상에서 성적을 가지고 1, 2, 3 등 순서 매기는 무식한 나라는 아마 일본 쓰레기와 대한민국밖에 없을 것이라며, 성적순에 연연할 이유가 없다고 누누이 말했다.

엄마나 아빠가 말하는 것과 별개로 유진이는 학교에서 또래들끼리 경쟁만으로도 서럽고 눈물이 날 정도로 힘들었다. 그런 상황에서 부모와 사회, 학교까지 공부 공부를 주문한다면 아이들이 가질 정신적 압박감은 얼마나 크겠는가?

정작 그렇게 공부를 부르짖고 외치는 어른들이나 사회가 왜 공부해야 하는지 아무런 답변도 주지 못한다. 오직 공부다. 공부를 위한 공부다. 그 이면에는 너 하나만은 출세하고 돈 벌고 잘살아야 한다는 성공에 대한 집착, 경쟁에서 승리해야 한다는 아집, 독선, 탐욕이 깔려 있다.

공부는 그런 것이 아니다. 공부는 더불어 행복한 세상을 위해서 하는 것이다. 개인이 가지는 적성, 취미, 특기 등을 살리고 인생의 아름다움을 펼쳐가기 위해 하는 것이다. 영어단어 몇 개 더 외우고, 수학 문제 몇 개 더 풀고 그렇게 학생을 몰아세워서 어쩌자는 것인가?

숙대 총장인가 한다는 사람이 영어몰입교육을 해야 한다고 미친 소리를 하고, 이명박 부류들은 특목고, 국제학교에 올인 못해서 안달이다. 어른들 왈 요즘 어린애들, 학생들 정말 걱정이다. 큰일이라고 입만 열면 떠벌린다. 영어, 수학 몰입에 온 나라가 난리인데 왜 아이들에 대해 그렇게 걱정하는 걸까? 그토록 영어, 수학에 일제고사로 들썩이면 아이들에 대해 걱정이 없어야 하는 것 아닌가?

공부는 영어몰입, 수학 풀기에 있는 것이 아니기 때문이다. 요즘 우리의 희망인 피겨여왕 김연아가 학교에서 이명박식 몰입교육에 올인했다면 예전에 '팽'쳤을 것이다. 박지성, 이승엽, 박찬호가 영어를 잘하고 수학을 잘해서 대한민국의 인재들이 된 것인가?

막말로 모두 다 영어, 수학 100점이면 모두 외교관 시킬 것인가 아니면 모두 다 판검사 시킬 것인가? 아니다. 누구는 요리사하고, 경찰하고, 축구선수하고, 택시기사하고, 합기도 관장하고, 농사짓고, 자동차, 컴퓨터도 만들어야 한다. 그래야 세상은 돌아간다.

생김새 다른 만큼이나 하나같이 개성도 취미도 성향도 잘하는 것도 다 다른데 왜 그 지랄 같은 외우기, 풀기에 아이들을 내몰지 못해서 안달인가? 제발 우리 아이들을 내버려 둬라. 솔직히 교과부나 교육청에서 하는 짓거리를 보면 차라리 기관을 없애는 게 낫다. 대교협이나 대형학원들 하는 꼬락서니를 보면 저것들이 왜 있어서 염병 지랄하는지 한심스럽기 그지없다.

아빠는 유진이 눈에서 그 저주받을 시험 같은 것으로 울지 않기를 간절히 바란다.

학교는 영어, 수학을 넘어 친구들과 어떻게 관계하고, 이웃과 약자를 사랑하고, 시민으로서 권리, 사람을 존중하고 사랑하는 인권 교양 등을 배우고 익히는 곳이기를 아주 간절히 원한다. 그 어떤 교육보다 인권교육이 가장 앞서야 한다. 그리고 각각의 개성과 적성, 특기, 취미에 맞는 맞춤교육이 되어야 한다.

이런 교육을 전제로 영어나 수학은 필요한 경우에 하는 지푸라기가 되어야 한다.

성적과 경쟁, 줄 세우기 교육은 교육이 아니다. 쓰레기다. 일제고사 같은 것이 어찌 교육이라 할 수 있단 말인가 말이다. 언젠가 우리 유진이가 이런 아빠 맘을 알고 성적순이나 매기는 쓰레기 시험에서 과감히 자유로워지길 절실히 원한다. 하고픈 것을 마음껏 할 수 있기를 바라고 또 바란다.

대한민국 아이들을 동물농장에 동물로 만드는 교육은 우리에게 필요 없다. 교과부나 교육청은 차라리 제발 아이들을 내버려 두어라. 두 번 다시 우리 유진이 눈에서 그런 거지발싸개 같은 것으로 눈물 나게 하고 싶지 않다.

군대 가야 철든다고?

2009년 6월 17일 '군대 가야 철든다고?'

살면서 듣는 이상한 소리가 있다. 술자리, 모임, 방송 등 여러 곳에서 듣게 된다.

"군대 가야 철든다." "군대 갔다 와야 사람 된다."라는 말이다.

이런 말을 들을 때마다 어처구니가 없다. 너무 황당한 궤변이다. 세상에 군대 가야 철이 들고, 사람 된다니 이 무슨 황당하고 무식한 소리란 말인가?

군대 가야 철들고 사람 된다는데 왜 대한민국이라는 국가에 이름깨나 있다는 재벌이나 정치인들은 한사코 군대 가기를 거부하는가? 그 좋다는 군대를 대를 이어 가지 않는가? 법을 위반하면서 자식새끼들까지 기어이 군대에 보내지 않는다. 군대 가야 철들고 사람 된다면 세상의 절반인 여자들은 철도 없고 사람 되기는 진작에 글러 먹은 일이 아닌가? 더불어 정의롭고 평등한 세상에 군대가 왜 존재해야 하는지 묻지 않을 수 없다. 군대라는 게 뭐 하는 집단인가? 개나 고양이 잡자고 군대가 있을 리 없지 않은가? 그렇다고 농사짓고, 인간 세상에 필요한 물품을 생산하기 위해 있는 것도 아니다. 군대는 사람을 죽이 자고 있는 것이다. 전쟁의 승리를 위해 존재한다. 합법적 살인 면허를 가진 집단이다.

사람을 죽이기 위해 있는 군대라면 응당 사람 사는 세상에서 있어서는 안 된다. 보통의 평범한 서민들 입장이라면 더욱 그렇다. 옛날 옛적부터 지금에 이르기까지 군대라는 게 어디 우리 인민들을 위해서 필요했던 것인가? 아니다. 힘 있고 권력 있는 놈들의 기득권을 유지하기 위해 있었다. 나아가서 더 큰 부귀와 권력을 쥐기 위해 군대를 만들고 전쟁을 벌였다.

근대에 오면서 국가, 민족이라는 외피를 덮어씌워서 군대를 그럴싸하게 포장하고는 있지만 궁극적으로는 사라져야 할 것에 지나지 않는다.

지금처럼 남북이 대치하고 주변 열강들이 첨예한 군사력을 가지고 있는 상황에서 군대를 사라지게 하자는 것은 현실성이 없는 주장이라 할 것이다. 그러나 전쟁 무기 감축, 군비 축소, 군인 수 줄이기는 언제든 주장하고 실행해야 한다. 전쟁을 반대하고 평화를 사랑하는 사람이라면 누구나 한목소리로 외쳐야 한다.

군대 가면 철들고 사람 되는 것이 아니라 까라면 까고 하라면 하는 종속적이고 복종형의 인간이 된다. 민주적 사고와 평등, 평화의 사람 사는 세상과 거리가 멀다.

지난날 5~60년대 똥구멍 찢어지게 가난하던 시절에 군대 가면 집안의 입도 하나 줄어서 좋았고, 학교 다니기도 어렵던 시절이라 배우는 것도 있었다. 흐리멍덩해 보였던 자식이 제법 기운차고 절도가 느껴지는 것이었다. 이러니 내용 여부를 차치하고 어쩐지 군대에 꼭 가야만 하는 것처럼 인식되었다. 독재 권력과 그 충실한 나팔수(언론)들은 은연중에 이를 당연시하고 미화시켰다. 그러나 본질에 있어서 군대는 어떤 이유도 변명도 항명도 사고와 논리도 필요 없다.

계급 하나 높고 하루 먼저 입대했다는 이유만으로 무조건 시키면 시키는 대로 죽으라면 죽는 것만을 요구했다. 거기에 사람으로서 존엄과 가치, 사상의식은 필요하지 않았다.

지금은 어떤가? 특별한 경우가 아니라면 대부분 고등학력이다. 대학생이 대다수다. 이런 상황에서 무슨 군대가 철이 들고 사람 되는 곳이겠는가? 군대는 오직 말 잘 듣고 비굴하고 복종적인 인간의 모습을 적나라하게 요구하고 배우는 곳일 뿐이다.

군대 3년은 젊음을 단절시키고 학문과 사회적 성장을 차단하는 것에 지나지 않는다. 늦었지만 이제라도 징집제를 폐기해야 한다. 모병제로 전환해야 한다. 자율과 창의성을 기반으로 하고, 충분한 지원과 보수를 지급함으로써 원하는 자가 가도록 해야 한다.

자유와 민주를 중요하게 여기는 유럽 등 국가에 가서 한국에서는 '군대 가야 철들고 사람 된다는' 말을 한번 해봐라. 그게 무슨 말인지 이해하는 사람이 몇이나 되겠는가. 이제 더 이상 이런 코미디 같은 말은 그만하자. 그만 듣자.

2009년 12월 5일 '나도 자랑 하나 있다'

요즈음 한얼미디어에서 펴낸 강대석 지음의 [김남주 평전]을 다시금 틈틈이 읽고 있다. 학생운동 시절 김남주는 존경과 경외의 인물이었다. 김남주가 쓴 시들은 계급성과 투쟁성, 민중해방의 염원을 뜨겁게 토해냈다.

읽는 순간 눈물도 나고, 부끄러움에 못내 한탄도 나왔다. 나의 안일함과 철저하지 못한 민중성, 계급성으로부터 자조 섞인 넋두리를 던지게도 된다. 지금은 내 힘으로 쉽게 어떻게 하지 못하는 상황이다. 때로 조급함으로, 때로 무력함으로, 힘들다. 기다려야만 한다.

김남주 이야기에 그의 시 '자랑 하나'가 있다.

나 자랑 하나 있지
암 있고 말고
두 쪽으로 동강 난 나라
하나로 이어지면 그냥
손주놈들에게나 들려줄
자랑하나 있지

나 북녘에 대고
하늘에 가슴에 대고
총 겨눈 적 없었지
부자들 총알받이 된 적 없었지
골백번 죽어도 없었지
남의 나라 식민지
나 군인 된 적 없었지
나 군인 된 적 없었지

김남주 시인의 〈자랑 하나〉처럼 나도 군대 안 간 '자랑 하나' 있다. 대학에 입학해 소위 말하는 운동권 학생이 되면서 내가 도저히 받아들일 수 없는 것이 있었다. 그것은 전두환군사파쇼 일당의 최후 보루, 최고물리력이라는 군바리가 될 수 없었다.

자본주의 성격에 대한 이해와 자본주의 기본모순에 대한 계급 대립을 인식하고, 80년 5.18 광주에서 보여준 군사파쇼의 주구로서 군바리 역할을 인식한 상태에서는 도저히 군대에 갈 수 없었다.

대학에 들어가기 전 초중고 12년의 교육이 그야말로 헛되고 헛된 교육이었다. 자본가, 독재, 제국주의의 이념과 사상을 주입하는 교육이었다. 나는 뿌리부터 모든 걸 때려 부수고 새롭게 조명하고 정립해야 하는 존재로 나를 거듭나게 해야만 했다. 오죽하면 당시 나는 "지난 12년의 교육은 통째로 쓰레기 더미에 처박아야 하고 이제부터 나는 철저히 반항과 저항(자본과 독재, 제국주의 등)의 삶을 살겠다."라고 토로하곤 했다.

이미 이러한 사상을 가진 나로서는 군대는 절대 갈 수 없었다. 하늘은 스스로 돕는 자를 돕는다는 말이 있는 걸 입증하기라도 하듯이 86년 5.3 인천 투쟁을 통해서 나는 군대에 가지 않을 수 있게 되었다.

김남주 시인의 시구처럼 나는 군사파쇼의 최첨단 물리력의 일원으로 복무하지 않은 것이 두고두고 자랑스럽다.

- 이제 세월이 흘러서 내 자식들이 군대 갈 햇수도 많이 남지 않았다. 아직도 대한민국의 군대는 여전히 냉전과 전쟁, 폭력 이데올로기에서 크게 벗어나지 못하고 있다. 아직도 군대는 강제로 끌려가야 한다.

내 자식 대에는 군대 가지 않아도 될 줄 알았다. 모병제로 전환할 수 있는 조건이 되었음에도 미제국주의와 군대 기생충들의 이익을 보장하기 위해 군대는 계속 존재해야 한다. 제 놈들 입으로 빡빡 기는 보병의 전쟁 시대는 지났다고 주절댄다. 최첨단 전자장비로 무장된 지금에도 여전히 미제와 군대 기생충들의 이익을 위해 이 땅에 태어난 젊은이는 군대에 가야만 한다.

군대에서 다치고 죽어도 국가의 책임은 사실상 없다. 강제로 끌고 갔다. 어떤 경우라도 끝까지 국가가 전적으로 건강과 안녕을 책임져야 한다. 최고의 급여와 복지로 모병제가 실현되어야 한다. 정의와 민주주의를 실현하는 군인이어야 한다.

※ 채 해병 사건에 드러나는 별, 장군들의 모습을 보면 가소롭기 그지없다. 임성근 등 장군이라는 자들의 추하고 비겁한 모습에 숨이 막힌다. 책임회피와 변명하기에 급급하다. 장군이라 거들먹거리는 자들의 꼬라지가 참 한심스럽다. 검사, 판사, 재벌 놈들의 수준이야 이미 바닥이지만, 그래도 장군은 좀 달라야 하지 않는가!

노동자

2009년 7월 27일 '노동자'

함께 잘살고 행복한 세상을 꿈꾸는 학생 운동가가 되었을 때 '노동자'라는 말과 글은 가슴에 닿아 울렁거렸다. 감동이었다. 알 수 없는 무언의 신비로움과 존경의 대상으로 비췄다.

하느님의 종으로 선한 일꾼으로 살겠다고 찾아간 신학대학에서 내가 운동권 학생이 된 것은 너무도 자연스럽고 당연한 귀결이라 생각한다. 신학대학 가기로 결심하고 조언을 듣기 위해 만난 신학대 선배로부터 '인간사상연구회'라는 서클을 소개받았다. 신입생 오리엔테이션이 끝나고 곧바로 찾아간 '인간사상연구회'는 시골 선배에게 들었던 서클과는 조금 다른 분위기였다. 시골 선배가 이야기했던 것과는 다르게 연구회는 김재엽이라는 선배를 통해서 성격이 바뀌고 있었다. 그러니까 운동권 학습 또는 사상 연구회로 바뀌는 중이었다.

이 선배가 82년 원풍모방 사건으로 징역을 살고 나오게 되면서 인간사상연구회 서클의 색채가 조금씩 바뀌는 상황이었고, 그때 나는 '인간사상연구회'를 만나게 되었다. 그렇게 나는 인간사상을 토론하고 연구했다. 쟁쟁한 선배들 틈에서 나는 할말이 별로 없었다. 책 한 권을 가지고 토론하면 어찌나 예리하고 논리정연하게 각자의 주장을 펼치는지 대학 새내기인 나로서는 말발을 세울 수가 없었다. 지난 기간 받았던 12년 교육의 현주소였다. 12년의 교육은 그야말로 바보들의 행진처럼 외우고 풀고 맞추기에 급급했었다. 토론, 세미나 과정은 처음 접하는 것이나 다름없었다. 쉽지 않았으나 재미가 붙었다. 서서히 적응했다. 이렇게 시작된 인간사상연구회는 연장선상에서 학생운동을 하는 교회대학부를 만나게 되었다. 초기 운동권 학생으로서 본격적인 학습과 실천은 강남구 압구정동 현대아파트 단지 내 상가에 있었던 '현대교회'였다.

1, 2학년을 거치는 동안 학교와 교회에서 정말 열심히 학습하고 실천하는 운동권 학생이 되었다. 소설 등 초기 입문단계의 교양서적에서부터 근현대사, 경제, 변증법적 유물론 등 철학, 혁명사, 구성체 논쟁 등. 그 학습의 귀결점은 '자본주의', '자본

가와 노동자', '혁명 주체로서 노동자'였다.

인류 역사가 시작된 이래 노예주에 맞서 노예가 해방투쟁을 전개한 노예제 사회, 봉건영주에 맞서 농노해방 투쟁을 전개한 봉건제 사회, 그리고 자본가계급에 맞서 노동해방투쟁을 전개하는 자본주의 사회에서 '노동자'였다.

자본주의 체제 대한민국을 해방 시킬 수 있는 존재는 '노동자'다. 세상의 모든 만물을 만드는 생산의 주체는 '노동자'다. 생산의 주체이자 이 땅의 다수를 이루고 있는 '노동자' 세상은 필연이다. 더불어 평등한 세상을 만들어 가는데 그 누구도 아닌 '노동자'가 투쟁의 주체이자 주인이라는 영광된 지위를 가진 것이다.

학생 신분에서 학습을 통해 인식된 '노동자'는 동경이었다. 생산의 주체, 집단의 주체로서 노동자가 가지는 규율성, 집단성, 혁명성은 인식 그 자체로서 가슴 떨림과 흥분, 신비로움과 존경의 그 무엇이었다. 세상을 궁극적으로 바꾸는 주체이면서도 자신을 내세우기보다는 동료와 전체를 생각하고, 소박하고 겸손하면서도 끈질기고 완강한 혁명적 실체로서 '노동자'였기에, 노동자가 된다는 것은 그 자체로서 완벽하고 아름다운 삶을 수놓는 것으로 되었다.

대학 3학년쯤에 나는 평생 노동자로서 살겠다고 결단했다. 학년이 올라갈수록 운동권에서 이탈하는 사람들이 많아지게 된다. 오죽하면 서울대를 빌어서 1학년 때는 4천여 명 전체가 운동권이지만 막상 4학년 졸업하면서 현장(노동, 공장)으로 이전, 투신하는 인자(운동 대오)는 손으로 꼽을 정도라는 씁쓸한 이야기가 흘러 다녔다.

학년이 올라가면서 흔들리고 힘들어하는 후배들에게 나는 자신 있게 말했다. "나는 결코 너희들을 실망하게 하는 일은 없을 것이다. 선배로서 책임지는 인생을 살겠다. 나이 50, 60이 되어서 만났을 때, 선배가 지금의 약속대로 살고 있을 테니까, 혹시라도 어려움이 있었다면 선배의 삶으로 위로가 되고 위안이 될 수 있을 것이다."라고 힘주어 말했다.

그렇게 나는 노동자가 되었다. 길지 않은 세월인데, 그 세월 속에서 세상은 참 빠르게 변한다. 공돌이, 공순이로 불리던 '노동자'도 이제는 '귀족 노동자', '비정규직'이라는 낯선 말이 일반화된 지 오래되었다.

지금 학생들은 공돌이, 공순이라는 말을 알아듣지 못할 것이다. 이 말이 줄어들고 사라지게 된 시기가 1987년 7,8,9월 노동자 대투쟁 이후 전국에서 들불처럼 번지고 일어났던 노동조합 결성, 임금인상, 노동조건 개선 투쟁이었으니 그리 오래전 일이 아니다.

앞서 투쟁한 노동자, 노동조합에 함께하지 못한 노동자, 미조직사업장은 마음으로나마 감사와 연대의 손길을 보내야 한다. 어느 자본가(사장)가 임금인상, 노동조건 개선을 해주고 싶어하겠는가? 지금도 노조를 인정하지 못하는 삼성이 임금인상, 노동조건 개선을 해주고 싶어서 했겠는가? 이병철, 이건희가 자선사업가 정신이 강해서이겠는가? 아니다. 비슷한 업종과 재벌 사업장에서 수없이 많은 노동자가 피 흘리고 감옥 가고 투쟁해서 임금 올리고 노동조건을 바꿔 놓았으니 삼성이 제아무리 싫어도 그와 비슷하게 올릴 수밖에 없었다. 더 나아가서 삼성은 노조가 없어도 된다는 걸 재직노동자에게 보여주기 위해 노조 있는 곳보다 조금이라도 더 올려주는 고육책까지 쓸 수밖에 없다.

상황이 이러한데도 투쟁하는 노동자, 노동조합에 고마움과 연대를 표하기보다 비난하고 욕한다면 그런 인간은 제정신 가진 사람이라 할 수 없다.

나는 여전히 노동자가 아닌 길은 거부하려는 경향이 강하다. 활동의 영역에서 보면 조금 다른 면도 있겠지만 개인적 삶의 자세 영역에서만큼은 좁은 의미에서 노동자의 삶을 쫓고자 하는 경향성이 크다. 2006년 지방선거 이후에 굳이 다른 걸 생각하지 않고 노동 현장에 들어간 것이나 지금에 택시 노동자의 삶도 그렇다. 괜히 연구소니, 자치회니 하면서 무게 잡는 꼴이 마뜩잖은 것이다. 노동자 정치가가 아닌 다음에야 난 여전히 노동자로서 실존적 삶을 살 것이다. 물론 농민으로서 삶도 그 영역에서 크게 벗어나지는 않으리라 본다.

이 삶의 대전제는 '세상을 바꾸는 것'이다. 평등과 평화, 인권이 넘치는 세상이다.
이 길에 여전히 '노동자'는 중심이다. 희망이다.

2024년 4월 27일 '노동자라면'

괴벨스와 같은 작전 세력이 음흉한 미소를 짓는다. 어차피 너희들은 내 발아래서 노는 개, 돼지에 지나지 않는다며 비싼 술

잔에 더러운 미소를 짓는다. 이재명 당 대표 서명을 받으면서 추미애 국회의장 서명이 진행되고 있다. 작전을 짜는 자들이 움직이고 있다. 그러거나 말거나 크게 의미를 둘 일은 아니다.

그래도 잊지 말아야 할 일이 있고, 생각과 사고에 일관성을 세울 필요가 있다. 그때는 맞고 지금은 틀렸다는 식의 사고를 하는 빠, 좀비, 무뇌아는 이미 잊거나 지난 일이라고 애써 자위할 것이다. 추미애는 노무현 탄핵의 주역이었다. 이건 뭐 그런 일이 있었다는 사실 확인 차원이라 할 수 있다.

문제는 추미애가 2009년 환경노동위원장이었을 때 노동 악법 날치기의 주역이었다는 사실이다. 그것도 민주당 소속으로 민주당과 민주노동당 국회의원들을 강제로 퇴장시키고, 한나라당 의원들과 합작으로 통과시켰다. (검색하면 당시 자료를 쉽게 찾을 수 있다.)

민주당 당론도 아니었다. 한나라당 의원, 한나라당 노동부 장관과 야합한 추미애 노동 악법이었다. 이 악법은 기업별 복수 노조 허용이라는 미명 하에 단체교섭권이 심각하게 훼손되었고, 노조 전임자에 대한 임금 지급은 불법으로 낙인찍히고 정부 기관이 주도하는 타임오프(근로 시간 면제)로 노동자 단결권을 악화시켰다.

헌법은 모든 노동자에게 단결권과 단체교섭권을 보장하고 있다. 날치기 악법은 헌법을 거스른 것이다. 국제노동기구(ILO)는 관련법을 국제 노동 기준에 위반되는 악법으로 규정짓고 그 개정을 요구하고 있다.

괴벨스 같은 자들이 음흉한 미소 속에 움직인다. 국민의 이익에 별 관심이 없다. 진보정당 죽이기 작전에도 고단수의 선전, 선동 능력을 발휘한다. 빠, 좀비는 고단수의 진보정당 죽이기에 훌륭한 나팔수의 역할을 해낸다. 숭미, 친재벌, 반노동은 한국 사회 거대양당의 일관된 노선이었다.

괴벨스 같은 자들에게 놀아나다가 타죽는 불나방은 되지 말아야 한다. 괴벨스 놀음에 발맞추기보다는 때로 유유자적 지켜보는 재미도 가질 법하다. 철이 든다는 것은 내가 서 있는 위치를 직시한다는 것이다. 역사의식의 기초는 계급의식이다. 노동자가 가지는 사상 의식이다.

※ *나는 우리 아이들이 '노동자'로서 살기를 원했다. 해방 세상, 평등 세상을 만드는 주역으로서 '노동자'이기를 원했다. 엄*

마, 아빠가 노동자 계급 정신에 기초한 삶을 살아가고 있기에 아이들도 자연스럽게 그 뜻을 이해하고 노동자로서 살아가지 않을까 생각했다.

세상은 빠르게 변하고 있었다. 나는 순진하거나 고지식하거나 바보가 되었다. 스리디 업종은 기피 대상이 되었다. 공장에 취업하려는 세상이 아니었다. 한편으로 진보, 운동한다는 사람들 내에서도 돈과 권력, 자리가 앞세워지는 풍조가 되었다. 민중 속에서 민중과 함께 평등 세상을 만들기 위해 투쟁하고 혁명에 한목숨 던지는 시절이 아득했다.

AI, 인공지능의 시대가 되고 있다. 불평등 계급 사회에서는 누구도 행복할 수 없다. 노동자와 자본가의 대립을 기본으로 하는 자본주의 체제에서 누구도 행복할 수 없다. 내가 행복하고 인류가 행복해질 수 있는 유일한 길은 계급이 사라지는 세상이다. 해방 세상, 평등 세상의 길에 '노동자'로서 지위와 역할이 있다.

각성한 노동자는 위대하다.

우리는 당 동지다

2009년 9월 11일 '우리는 당 동지다'

지난 9일 저녁 호계신사거리 호계쌈밥집, 당원들을 만났다. 안양을 떠나 서울로 옮기게 되었음을 겸하는 자리였다.

내가 편한 마음으로 만날 수 있는 당원들에게 연락해서 마련된 자리였다. 미처 함께하지 못한 당원들은 내주에 다시금 만날 계획이다. (만나지는 못해도 전화나 문자로 연락은 할 것이다.)

다들 바쁜 중에도 참석해 준 당원들에게 고마움을 전했다.

특히나 1차, 2차의 거액의 비용을 김선홍 친구와 윤용중 위원장이 선뜻 계산해주었다. 뒤풀이 비용에 보태라며 돈을 건넨

안성주· 함현우 부부(딸 안도연)에게 신세를 많이 진 것 같아 미안하고 고맙다.

오랜만에 당원들을 만나서 초창기 당 생활로 돌아간 듯한 분위기로 화기애애했다. 당 생활의 후유증(상처)으로 한동안 두문불출했던 김영근 동지도 볼 수 있었다. 걱정이 많았다. 반가운 얼굴로 만나게 되니 마음이 가볍다.

민주노동당 의왕시 위원장 이종명, 민주노동당 과천시 위원장 류강용 동지는 내년 과천시장 출마를 결정했다. 크게 성원의 박수를 보냈다.

LG전선의 민홍기, 기아자동차 김재정, 빨간펜의 박성수·김영호, 전기기사 서상영, 대림대노조지부장 이남구, 김한구(06년 지방선거 시의원 출마자), 김봉식, 금형기술자 김상현(지난 선거에서 시장 후보였던 나의 비서 역할을 맡아서 너무도 열심히 일한 동지다), 대학입시 강사 장이석, KT 윤용중, 아내 심찬구까지.

1, 2차 술자리에 당구 그리고 마지막 입가심 자리까지 길게 이어졌다.

나라고 하는 존재에 비해 동지들로부터 너무도 많은 사랑과
복을 받으며 살고 있다. 열심히 살아야 할 이유다.

(위 왼쪽부터 장이석, 윤용중, 성병화, 김도영, 김상현, 김재정 동지 그리고 사진을 찍지는 못했지만 한무리교회 석동수 선배, 구본철 실장, 문경식, 이정욱, 김호경, 안양지역노동자회 김종주 회장과 함께했다.)

※ 동지들에게 미안하고 송구하고 죄송하다. 도봉구로 이사한 후에 얼굴 보기가 너무 어려워졌다. 일 년에 한 번이라도 볼 수 있어야 하는데, 그러지 못했다.
사진만으로도 울컥한다. 벌써 세월이 많이 흘렀다. 어떻게 지내는지 안부가 궁금하다. 소주 한잔 나눌 수 있는 자리를 마련해야겠다.

아버지

2012년 6월 3일 '아버지 만나러'

아버지 일하는 곳으로 발걸음을 옮겼다. 마음은 아버지 계시는 곳에 있고, 틈나는 대로 찾아뵈려고 생각한다. 그런 생각에도 불구하고 실제 발걸음을 옮기기가 쉽지 않다. 쉬이 발걸음을 옮기지 못하는 이유가 뭘까? 1시간여 걸리는 시간 때문일까. 이래저래 바쁜 일정으로 인해서. 부모님 생각하는 마음이 부족해서. 이리저리 머리를 갸웃거려봐도 이거라고 콕 집어 말하기가 쉽지 않다.

반소매에 반바지, 책 사이에 부채 하나 끼워서 나섰다. 남 시선 별로 의식하지 않고 자유롭게 살고 싶다. 내 멋에 사는 경향이 많은 모양임에도 불구하고 오십이 되는 나이에 쉽지 않은 패션이다. 그저 구속받거나 신경 쓰면서 일상을 살고 싶지 않다.

102번 버스 타고 중계역에서 내렸다. 앞에 가는 아가씨 옷차림이 시원하고 섹시하다. 큰 키에도 상당히 높은 하이힐을 신었다. 치마는 연예인을 능가할 만큼 짧다. 멋있다. 멋지다는 생각이 들었다. 젊음이 가지는 푸르름이리라. 우리 아이들도 저 아가씨처럼 젊음이 가지는 멋스러움과 자유로움을 호흡하고 만끽하면서 살아가면 좋겠다는 생각이 들었다.

일요일 오후여서일까? 전철은 크게 붐비지 않았다. 자리 하나가 비었다. 냉큼 앉았다. 쉰 살에 흰머리가 제법 늘어가지만, 평소의 모습은 아니다. 책을 읽고 싶은 마음에 냉큼 자리를 차지하게 되었다. 책 읽기도 그나마 전철이기에 가능하다. 버스 타고 갈 때는 책 읽기가 불가능하다. 책을 펼치면 어지럼증, 구토증이 나타난다. 서울 와서 한동안 버스 타기가 힘들었다. 멀미가 났다. 서울이란 동네가 사람 살기에 좋지 않다는 증거일 수 있겠다.

'한국교육의 리모델링' 유인종, 전병식 저자다. 북부교육지원청의 국장으로 있는 전병식 저자로부터 사인해서 받은 책이다. 누군가로부터 받은 책이라면 그 사람의 마음을 생각해서라도 더욱 읽어야 한다. 그게 작은 예의이지 않겠는가? 50쪽가량 읽는 중에 마음이 위로되고 조금 편안해진다. 저자가 말하는 교육은 "교육개혁 또는 교육정책 수행은 미래의 주인공인 아이들을 위한 것, 인간이 교육받으면 받은 만큼 바람직한 인간, 즉 사람다운 사람으로 바꾸어 나가는" 것이라 말하고 있기 때문이다.

중계역에서 7호선 타고 건대입구역에서 2호선으로 갈아타 잠실나루역에서 내렸다. 잠실역에서 내렸었는데 그냥 잠실나루역에서 내리고 싶어졌다. 잠실역이나 나루역이나 찾아가는 거리가 비슷하지 않을까 생각된 측면도 있었고, 잠실역에서 내리면 붐비는 사람, 상가들 사이로 걸어가는 것이 못내 싫다는 정서도 작용했다.

잠실역 근방으로 높은 빌딩이 경쟁하듯이 우후죽순 들어서 있다. 그것도 부족해 계속해서 큰 건물들이 올라가고 있다. 도대체 저 많은 건물이 지어지면 공간이 다 채워지기는 한 건지 알 수 없다.

아버지를 만났다. 중학교에서 일하시는 아버지는 그 나이에 일할 수 있다는 사실에 대해 너무도 행복해하신다. 어릴 적에는

'소사'로 불리던 일이 아닌가 싶다. 아버지는 한 달에 한 번도 공식적으로 쉬는 날이 없다. 혹여 집안 사정으로 빠지게 되면 에누리 없이 그만큼 급여에서 공제가 된다. 그렇다고 보너스 등 뭐 노동법상으로 주어지는 기본이라고 할 수 있는 게 아무것도 없다.

자식이 노동 분야에 나름 전문가일 수 있고, 진보정당 운동의 주요 일꾼일 수도 있지만 아버지와 같은 노동조건에 대해 뭐라 분노를 표하고 말하기가 쉽지 않다. 행동의 결과는 아버지의 피해로 나타나기 때문이다. 사용자 측이라고 할 수 있는 업체도 영세한 이유가 있다.

아버지와 시간은 나에게 있어서 가장 행복한 시간이다. 나에게 아버지는 어렸을 적부터 행복했다. 나의 모습은 아버지와 다르다. 세 아이의 아버지로서 나는 아버지와 비교할 수 없다. 너무 부족하고 부끄럽기 그지없다. 나는 아버지께 한 번도 맞은 적이 없었다. 늘 자랑이었다. 아버지께 야단맞은 기억도 없다. 그렇게 컸으면서도 나는 아이들을 그렇게 못 키우고 있다. 부끄럽고 한심한 일이다.

아버지는 친구요 형님이요 인생의 버팀목이다. 아버지와 있으면 이런저런 이야기를 많이 하게 된다. 소소한 신변잡기부터 가정, 국가 중대사에 이르기까지 정말 맘 편하게 이야길 한다. 그간의 세월 속에서 가끔 의견 차이로 인한 갈등도 있지만 그건 조금 시간이 지나면 자식은 죄송하고 아버지는 인자함으로 다가왔다.

어머니의 건강 이야기, 동생 이야기, 할아버지 산소 이야기, 친척들 이야기, 아이들 이야기, 그렇게 대화가 계속되었다.

나가서 맛있는 식사라도 하면 좋으련만 학교를 벗어나면 안 된다고 하시니 근처 중국집에 쟁반짜장과 탕수육으로 저녁을 했다. 아버지는 그 음식마저도 자식에게 더 먹으라시며 젓가락을 움직인다.

저녁 8시쯤 되어 학교 앞까지 나온 아버지와 헤어졌다. 뒤돌아보면 괜히 눈물이 날 것만 같아서 못내 앞만 보고 걸었다. 뒤통수로는 쳐다보고 계시는 아버지 숨결이 느껴졌다.

7호선 전철에서 윙윙 진동음이 울린다. 아버지다. 어디쯤 가고 있냐고, 조심히 잘 가라고 하신다. 네. 걱정하지 마시고 편히 쉬세요. 또 마음이 짠했다. 아버지 사랑으로 온몸이 후끈하다. 건강하게 오래오래 함께 계셨으면 최고의 행복이지 싶다. 별도 별이 잘 보이지 않는 서울 하늘의 밤이 흐르고 있다.

덧붙임 :

2012년 최저임금이 시간당 4,580원이다. 내년도 최저임금이
또 논의되고 있다. 노동계, 진보 진영은 시간당 5,600원을 주
장하고 있다. 정규직 평균임금의 50% 수준 정도에 맞출 때
시간당 5,600원이다.

당연히 그래야 한다. 소위 말하는 비정규직의 반대편에 정규직
노동자 특히나 공기업, 대기업, 전문직 종사자들의 경우는 비
정규직의 몇 배나 되는 고임금으로 노동자 간의 불평등이 심
화하고 있다.

문제는 몇 배씩 차이 나는 이 상황을 정확하게 인지하거나 해
결 방안을 찾기 위한 노력이 선행되지 않으면서 최저임금 규
정에 집착하다 보면 자칫 범법자를 양산하는 사회적 환경을
조성할 수 있다는 문제점이다.

가령, 식당, 슈퍼, 편의점, 주유소, 시장가게, 미용실, 카센타,
양말공장, 마찌꼬바 등 영세자영업자들로서는 부담하기 어려운

최저임금 규정이 될 수 있다. 겨우 가내수공업 형태로 운영되는 곳들마저 법이라는 일률적인 잣대로 최저임금 규정 등을 들이민다면 이들은 하나같이 범법자로 전락할 수밖에 없다. 이 부분에 대해 국가적, 사회적 차원의 대안이 세워져야 한다.

실태조사를 하든, 연구하든 현실적으로 소규모자영업자들이 감당하기 어려운 부분에 대해서는 어떻게든 지원방안이 세워져야 한다. 산업, 업종별 실태조사를 통해 차액을 정부에서 지원해주는 방안을 생각해 볼 수 있다.

실업급여, 노령수당, 무상급식 등 다양한 사회안전망을 구축하는 것과 같은 연장선에 있다. 실제 민주노총이나 진보정당에서 이를 의제화, 법제화한다면 상당한 사회적 반향과 지지를 높일 수 있을 것이다.
아직 이 부분에 대해서는 누구도 고민이나 노력하는 흔적이 보이지 않는다. 내가 향후 선출직 공직자로 일하게 된다면 실제 이런 문제를 해결하고 싶다.

2009년 7월 7일 '아버지와 돈'

"돈 필요 없어요."

어머니, 아버지께 하는 이야기다. 내가 햇빛을 볼 때부터 작은 집 한 칸, 밭뙈기 한 평 없었다. 부모님 이야기에 따르면 할아버지, 할머니 시절에도 여전히 가난했다고 한다. 할머니, 할아버지는 그렇게 가난한 중에도 남에게 아쉬운 소리나 손 벌릴 줄을 몰랐다. 없으면 배 깔고 아랫목에 누워서 굶었다. 융통성이 없는 고지식한 분들이었다고 한다. 부모님도 할머니, 할아버지와 크게 다르지 않았다. 그렇게 나는 가난한 집에 태어났다.

누구나 그렇듯이 어려도 집이 가난하다는 걸 직감적으로 터득한다. 시골인데도 농사짓는 땅은 둘째치고 집도 한 칸 없어서 월세, 전세를 전전했다. 그래도 우리 집은 행복했다. 부모님은 경제적인 문제로 고민이 많았겠지만, 자식들은 경제적인 곤궁을 크게 느끼지 않았다.

집안의 걸레를 행주로 오인하게 하는 엄마의 깔끔함 때문에 친구들은 우리가 다들 잘 사는 줄로 알았다. 엄마의 지극한 자식 사랑과 아버지이면서 형님, 친구 같기도 한 아버지의 소박하고 인자한 집안 환경으로 행복했다. 가끔 두 분은 돈 문제로 불화를 겪었다. 그럴 때면 집안 분위기는 어둡고 무거워졌다. 형제, 친인척, 사회적 관계로부터 곤경에 처하기도 했다. 그런데도 나는 돈에 대한 집착이나 욕구가 강하게 발휘되질 못했다.

친척이나 사회의 불의에 맞서 되갚음이나 복수를 생각하면서도, 돈 벌어서 어떻게 하겠다는 생각보다는 사람답게 의롭게 살아서 훌륭한 사람으로서 뭔가를 보여주겠다는 생각이 앞섰다. 이런 생각의 연장선상에서 나는 하나님의 선한 종으로 사는 결심을 했고 신학대학에 갔다. 이런 생각은 돈에 집중성을 떨어뜨렸다.

전두환군사독재의 80년대 시대 상황은 자연스럽게 사회변혁의 필요성을 나에게도 부여했다. 독재 타도, 민주주의 쟁취를 위해 운동하는 사람으로 만들었다. 노동자, 농민, 민중이 주인 되는 세상을 만들기 위해 한 몸 바쳐 투쟁하겠다고 결의한 순간부터 지금까지 내 삶의 정신적 기조는 민중이 주인 되는 세상, 평등 세상이었다.

혈기 왕성한 20대, 하나님의 선한 목자로서 살려고 했던 것처럼 민중이 주인 되는 평등 세상을 만드는데 한 몸 바치겠다고 결의한 운동권 활동가의 삶 속에서도 돈이 차지할 자리는 없었다. 세상 사는데 돈이 있어야 한다고 말씀하시는 부모님께

"돈 그거 그렇게 크게 필요 없어요."라는 말로 화답하곤 했다.

아이가 셋이다. 누구 말마따나 돈 들어갈 일만 남았는데도 나는 여전히 돈에 대한 미련이나 욕심이 발동되질 않는다. 워낙에 없는 살림은 아끼고 줄여서 사는 수밖에 없었다. 때론 마누라에게 타박도 받고 언쟁도 하지만 그것은 어디까지나 없는 살림에 조금이라도 아끼자는 것이지 그 이상도 이하도 아니다.

아이들을 키우다 보니 가끔 돈이야기가 나오면 아버지께서 한 말씀 하신다.
"너는 맨날 돈 필요 없다고 했잖아, 이제 돈이 좀 필요하지."
살아가야 하는데 돈이 없어서는 안 되겠지요. 다만, 필요 이상으로 돈에 집착하고 아등바등할 필요가 없을 뿐이다.

이제 40대 중반을 넘기면서 곧바로 50이고 60이다. 현실과 터무니없이 동떨어진 모습에 가끔은 내가 좀 문제가 있다는 생각이 들기도 한다. 그놈의 돈으로 인해서 걱정도 많다. 돈이

없으면 무얼 하고 싶어도 뜻대로 움직이기 어렵다. 그런데도 왜 돈에 대한 욕심과 의지가 발동되질 않는 것일까? 혹시 내가 전생에 신선이기라도 했었나!

가관이요, 금상첨화(?)라고 할 수 있는 것은 아내도 돈에 대해 큰 욕심이나 집착, 의지가 없다. 다른 건 무척이나 나와 다른데도 왜 돈이나 돈 버는 것에 대해서는 무대책이 상팔자이기라도 한 것처럼 유유상종인지 모를(?) 일이다.

요즘 세상에서는 프로가 대우받고 칭찬도 받는데, 나는 왜 이렇게 아마추어 같을까? 혹시 돈뿐만 아니라 다른 것에서도 아마추어는 아닌가! 에구 모르겠다.

다들 돈, 돈, 돈하고 사는데 나라도 돈, 돈, 돈 하지 말고 살자. 이게 철이 덜든 거라면, 나는 철없는 삶을 살 것 같다.

아마추어이고, 철없는 사람으로.

2024년 1월 18일 '아버지 그리고 고마움'

- 강이진 님의 장례 예식과 많은 분에 대한 고마움 -

2024년 1월 15일 08시 30분 아버지가 이승의 운명을 내려놓았습니다. 치매가 있으셨던 아버지의 마지막 거처는 요양원이었습니다. 요양원에서 만난 아버지는 너무 맑고 깨끗하셨습니다. 온화한 아버지의 얼굴은 걱정하지 말고 행복하게 살라고 말씀하시는 듯했습니다.

도봉구청 앞 요양원에서 사망신고서를 받기 위해 향하던 우이동의 하늘은 맑고 푸르렀습니다. 북한산 풍경은 또 얼마나 맑고 환했는지 모릅니다. 아버지가 떠나는 날, 하늘이 마치 축복하는 듯했습니다.

서울대병원 시신 기증 연락처에 전화했습니다. 간단하게 절차에 대한 설명을 듣고, 서울대병원 장례식장으로 이송했습니다. 운구 이송을 담당하는 분이 여성 혼자였습니다. 보통의 생각을 깨는 장면이 되었습니다. 대형면허가 있어야 하고, 관련 시험에 합격하면 운구 이송 자격을 부여받는다고 하였습니다. 도봉구 방학동 요양원에서 종로구 연건동 병원까지 짧은 시간이었지만 이송하시는 분에게 여러 이야기를 들을 수 있었습니다.

장례식장 도착해 시신 안치 담당하시는 분에게 설명을 듣고 서명하였습니다. 사무실로 올라가서 장례 관련한 설명과 그에 따른 서명을 하였습니다. 집에 가서 옷을 갈아입고 오는데 아버지의 시신 기증이 불가하다는 통지를 받게 되었습니다. 팔과 다리에 살과 근육이 부족하다는 이유였습니다. 이해하기가 쉽지 않았지만 어쩔 수 없는 상황이었습니다. 시신 기증이 안 될 것이라고 미처 생각하지 못했습니다. 일반적인 장례 절차를 밟아야 했습니다. 화장한 유골은 집에 일정 기간 모시기로 하였습니다.

일곱 시간이 지나면서 찾아주시는 분들을 맞을 준비가 되었습니다. 병원에서 만들어준 부고 문자를 즉시 보낸 이유로 준비가 안 된 상황에서 찾아온 분은 제대로 자리를 마련하지 못하는 불찰이 발생했습니다. 많은 분이 직접 찾아주고 부조금을 보내주셨습니다.

경황도 없고 정신도 없는 상태에서 인사하고 자리를 안내했습니다. 술 한잔에 인생의 회고가 스쳤습니다. 아버지이고, 형님이고, 친구 같았던 아버지의 영정이 환하게 빛나고 있습니다. 아버지는 인생에서 또 다른 한고비의 장면을 보여주고 있습니다. 대학에 들어가면서 운동권 학생이 되었던 과정을 아버지는

149

알지 못했습니다. 어느 날 전두환 정권의 수배자가 된 자식의 실체를 확인하게 되었습니다. 탓하거나 나무라지 않았습니다. 그렇게 시작된 아버지의 모습은 평생 응원이 되었습니다. 혹여 공권력의 폭력에 몸이 상할 염려는 있었지만, 운동하는 아들의 진정성에 대해 의심하거나 다른 소리를 하지 않았습니다. 학생 운동, 노동운동, 진보정당, 시민(계급)운동으로 지금에 이르기까지 아버지는 일관된 지지로 함께 했습니다. 대를 이은 가난에서 벗어나는데 자식이 역할 해주기를 바랐지만, 그 자식은 돈과 자리에 먼 삶을 사는 모습이 되었습니다. 자식의 경제적 무능함으로 인해 아버지는 85세까지 적은 돈이지만 벌어야 했습니다. 아부와 굴종을 모르고 비겁, 비굴하지 않았습니다. 고지식한 아버지의 삶은 언제나 멋지고 훌륭한 인생의 좌표가 되었습니다.

2박 3일의 장례 기간 중 옥에 티는 화장터였습니다. 화장터 위세가 높았습니다. 하루를 더 연장하기는 어려웠습니다. 강원도와 충청도를 알아본 결과 충주 하늘나라 화장터에 갈 수 있었습니다. 왕복 네 시간이 조금 더 걸렸습니다. 화장하는데 2시간 정도 시간이 소요되었습니다. 입관은 아버지 얼굴을 보면서 마지막으로 인사와 눈물을 짓는 시간이었습니다. 아버지가 타오를 로에 들어가는 시간도 눈물이 흐릅니다. 이제 살아갈 삶의 장면 장면에서 얼마나 아버지의 모습을 쫓고 눈물짓게 될지 알 수 없습니다.

아버지의 마지막을 함께하는 2박 3일의 장례 기간은 고마운 사람들로 성을 쌓는 시간이 되었습니다. 유무형의 시공간은 아름다움으로 채워졌습니다. 마음과 정성으로 위로를 전해준 많은 사람이 있어서 행복한 시간이 되었습니다. 충주 하늘나라에서 돌아오는 길은 함박눈이 세상을 하얗게 물들이고 있었습니다. 마치 고생한 자식에 대해 아버지가 응원하는 눈물로 피어난 듯했습니다. 이미 부족한 모습이 되었지만 '세상을 바꾸자'는 구호는 가슴에 맺힌 깃발이 되었습니다. 아버지를 만나서 즐거웠고 아버지로 행복했습니다. 부족함만 많았던 자식은 그저 고마움이 전부입니다. 세상은 온통 아버지로 채워질 것입니다. 고맙습니다. 사랑합니다.

그리움으로 남은 아버지 그리고 고마운 분들에게 전하는 인사.

누가 나에게 이 길을 가라 하지 않았네!

2012년 12월 20일 '누가 ~ 가라 하지 않았네!'

'누가 나에게 이 길을 가라 하지 않았네!'

참혹하고 더러웠다. 어떻게 하면 좋단 말인가? 어떻게 살아야 한단 말인가?

무수하게 많은 인명을 죽음으로 내몬 독재자의 딸이 대를 이어 대한민국 대통령이 되었다. 현실을 받아들이기가 너무 고통스럽다.

박정희가 어떤 인물인가? 손가락을 잘라 혈서를 쓰면서까지 일왕에게 충성을 맹세하고, 해방정국에서는 남로당원이 되었다가 경찰에 잡혀 죽으려는 순간에 동지의 모든 명단을 팔아서 목숨을 부지하고, 군바리로 변신해서 군사 쿠데타로 국정을 난도질한 인물이다. 일신의 영달과 부귀를 쫓아 변신을 밥 먹듯이 한 '기회주의자'의 전형이다.

집권 기간 내내 중앙정보부를 이용해서 숱하게 많은 사람을 자기 입맛에 맞지 않는다고 잡아다가 고문하고 죽인 자다. 어린아이부터 유명 배우까지 하루가 멀다고 강제로 여자를 불러다 난장판을 벌인 자가 아닌가?

박정희가 독재했지만, 경제를 살렸단다. 이런 엿 같은 말이 어디 있단 말인가. 국민을 고문하고 죽였다. 미국, 일본의 원조와 장기저리 차관 등 돈으로 재벌기업에 온갖 특혜를 주었다. 매춘관광까지 하면서 떡고물은 고스란히 챙기고 노동자, 농민을 착취, 수탈해 밥 먹여준 게 경제 살린 거라고 고맙다면 그 빌어먹을 밥 나는 안 먹는다.

그런데 그런 박정희의 딸내미가 대를 이어서 대통령이 된 것이다. 이 상상할 수 없는 참혹함을 어떻게 해석해야 한단 말인가? 이북의 삼대 세습이나 대한민국에 독재 세습이나 어떤 차이가 있는가!

설치는 밤잠에 현대차 비정규직, 쌍차 등 철탑 노동자들의 모습이 보였다. 분노로 가슴을 때렸다. 깨어있는 민중이 겪어야 할 고초가 너무 크다.

무지렁이 가난뱅이 서민이라고 하는 밥통들에 대해 내가 더 이상 어떤 인내를 해야 하는지 묻고 또 물었다. 독재자도 좋고 자신들 삶을 옭아매는 재벌정당이며, 외세의 이익을 대변하는 후보인데도 좋다면 그런 무지렁이 대중의 끝은 어디에 놓여야 하는가? 개고생 더하라고 해야 하는가.

이런 엿 같은, 개 같은 현실의 저변에는 남과 북의 적대적 공범 권력이 자리하고 있다. 미제국주의의 세계전략은 유효적절하게 작동하고 있다. 대화도 토론도 이성의 공간이 자리할 수 없다. 빨갱이 이 한마디, 빨갱이는 세상 모든 악의 근원, 실체의 유무도 존재의 유무도 필요하지 않다. 인민이 우선이다. 해외에 식량 구걸, 원조의 손을 내밀면서 미사일, 로켓 발사로 허장성세인가. 선거 때면 이상한 행태로 수구반동권력을 응원하는가.

배우자는 대한민국에서 못 살겠다고 한숨을 푹푹 쉬다가 지친다. 인가도 안된 중고 부품 쓰는 원자력발전소, 마약 하면서 일하는 원자력발전소도 조만간 터질 거란다. 이명박근혜정권하에서 산다는 게 너무 불안하다. 아이들도 어떻게 박근혜가 대통령이 될 수 있는지 모르겠다고 열불을 토한다. 가족 간에 예민해진다.

지난 30년 민주화, 진보 운동 삶 속에서 멘붕의 2012년 한 해를 보내고 있다. 일산 킨텍스에서 생중계된 통진당의 적나라한 실체로 멘붕을 겪고, 박근혜 대통령으로 참담하다.

그런데 어쩌랴 이게 현실이라면 받아들이는 수밖에.

그런데도 눈뜨는 게 싫다. 살아 있음이 다시금 고통일 수 있음을 절감한다. 살아 있어 감사하고픈 마음이 들지 않는 아침을 맞고 있다. 그래 세상이 그리 쉬우면 뭐 진작에 혁명도 이루어지지 않았겠냐? 세상살이가 그리 간단하더냐? 일제강점기도 살았고, 한국전쟁도 겪었고, 군사독재 시절도 살아온 역사가 아니더냐?

늘 살아 있음에 부끄럽고 고마움을 표하는 마음가짐을 다시금 챙겨야 한다. 전태일, 5.18영령, 박종만, 김세진·이재호, 조성만, 박종철 등 앞서간 선배, 동지들께 내 정신을 다시금 비춰야 한다.

누가 나에게 이 길을 가라 하지 않았다. 내가 가고 있다. 사람이기에, 사람으로서 부끄럽지 않아야 하기에, 사람이 사람일수 있음을 자각하고 산다는 게 얼마나 소중하고 아름다운 일인가!

돈벌레들, 그 밑에 더러운 떡고물이라도 어떻게 주워 보겠다고 바둥거리는 추한 모습을 갖지 않고 살아야 한다. 그 길이 내 길이다.

인터넷 검색으로 노래를 듣고 또 듣는다. 살포시 미소를 머금으며.

누가 나에게 이 길을 가라 하지 않았네

내게 투쟁의 이 길로 가라 하지 않았네
그러나 한걸음 또 한걸음 어느새 적들의 목전에
눈물 고개 넘어 노동자의 길 걸어 한 걸음씩 딛고 왔을 뿐
누가 나에게 이 길을 일러주지 않았네
사슬 끊고 흘러넘칠 노동해방의 이 길을

문재인이재명민주당의 반성과 성찰

2022년 11월 22일 '반성과 성찰이 먼저다'

'사죄가 먼저다.'

모자라고 무능한 것이 나 홀로 잘나고 똑똑한 줄 안다. 거기에 시건방진 폭력성까지 겸비했으니 어쩌면 한울님이 이리도 시련을 주는지 알 수가 없다. 매국노 사대주의에 찌들대로 찌든 놈들이다. 벌거벗은 손바닥 왕(王)에 골 빈 놈 하나 세워놓고 하이에나보다 더한 뜯어 먹기에 여념이 없다.

하늘은 캄캄하고 땅은 시커멓게 꺼지는데 이를 어떻게 해볼 도리가 없다. 한국 사회 현실이다. 때가 되면 한울과 같은 민중이 나서서 최악의 상황은 막아낼 것으로 생각하지만 이 또한 알 수 없다. 당장에 이를 기대하기 어렵다.

이러한 상황을 만든 자들의 반성과 성찰이 전제되어야 하는데, 반성과 성찰은 없고 여전히 핑계와 남 탓만 하면서 징징댈 뿐이다. 이 상황을 만든 장본인은 누구인가? 바로 문재인과 민주당이다. 단도직입적으로 윤석열과 국힘을 집권당으로 만든 일등 공신이 문재인과 민주당이다.

사정이 이와 같다면 문재인, 이재명, 민주당 국회의원, 민주당 주요 인사들은 한 사람도 빠짐없이 광화문 광장에서 대국민 사죄를 해야 한다. 무릎이 닳도록 백배, 천배의 큰절로 진심을 보여야 한다.

잘못했습니다. 잘못했습니다. 빌고 또 빌어야 한다.

두 번 다시 그런 오류는 범하지 않겠다고 대국민 이해와 용서를 구해야 한다. 왜 이래야 하는지 모르는 빠와 좀비가 있다면 이들은 그냥 열외다. 그냥 통과하라.

문재인과 민주당은 2016~2017년 촛불혁명이 싫었다. 국민의 뜨거운 열기에 함께 타버릴지 무서워 어쩔 수 없이 막판에 무임 승차했다. 그렇게 문재인 정부가 만들어졌다. 문재인 정부

5년은 어떠했는가? 단군이래 이런 일은 없었다. 입법, 사법, 행정, 지방정부까지 완벽하게 문재인과 민주당 세상을 만들어 줬다. 한때 지지율 80% 이상의 고공행진을 했다. 아직 6개월, 아직 1년, 아직 2년밖에. 그렇게 세월 다 까먹었다.

정치, 경제, 노동, 재벌, 사회, 문화, 외교, 군사 등 무엇하나 제대로 한 것이 없다. 있다면 박근혜 대를 이어 사드 확장과 지소미아 유지, 참수 부대, 엄청난 미군 무기 구매가 전부였다. '헬조선'을 근본에서 해체하고 새로운 대한민국을 세울 수 있는 절호의 기회, 5년을 립쇼와 지지율만 허덕대다가 다 소비하고 말았다. 진보도 아닌 것들이 진보라는 이름을 시궁창에 박아버렸다.

식대, 상여금 등을 포함한 '최저임금 산입범위'는 실로 기막힌 사기다. 추가 수당 없이 초과 노동 강제하는 탄력근로제 기간 확대와 12시간 주간 초과 노동 특별연장 허가는 립서비스의 사기답다. 알맹이는 다 빼버린 중대재해기업처벌법은 여전히 매일 같이 7명의 노동자를 일터에서 죽게 하고 있다. 손배가 압류 폐지는 개념조차 없었으며, 사업장 점거 쟁의행위 금지, 상급 단체 종사자 단위 사업장 출입 금지 등 제반 노동 악법을 늘리고 만들었다. 국제노동기구(ILO)의 최악 노동 탄압국

159

5등급을 문재인 민주당 정권은 임기 내내 유지했다.

한동안 잘 팔리던 코로나는 처음과 끝이 다른 사기가 되었다. 한방이면 해결된다던 백신은 계속해서 횟수가 늘어만 갔다. 나중에는 병증을 완화한다는 헛소리로 진화했다. 그렇게 2,200여 명의 생명이 백신으로 죽었다. 문재인 민주당 정권은 아무런 책임을 지지 않았다. 그저 재수 없어서 죽은 사람들로 치부했다.

2년 동안 장례식도 치르지 못하게 하던 폭력을 2년 만에 슬그머니 철회했다. 말 한마디라도 지난 2년 동안 국가가 몰라서 장례 예식을 치르지 못하게 했다는 사과 한마디 없었다. 이런 어처구니없는 코로나 사기는 지금도 진행형이다. 마스크와 백신의 사기는 여전히 위력을 떨치고 있다. 자영업자와 코로나 시국에 고통받는 가난한 사람들에 대한 지원은 늘 홍남기 부총리에 막혔다. 문재인과 민주당은 없다.

문재인과 민주당은 범죄자 이재용을 10여 차례에 만나서 위로했다. 법원의 최종 판결을 받지 않은 범죄자를 불러 건배했다. 양심수와 정치범에게 그 흔한 립서비스는 없었다.

능라도 경기장 평양시민 10만 명 앞에서 연설했다. 백두산에 올라 만세를 불렀다. 그 결과는 김정은 목을 베기 위한 참수부대와 사드 확장, 전례가 없는 미군 무기 구입이었다. 일제의 치안유지법, 독재자들의 무기가 된 국가보안법 폐지는 입도 뻥긋하지 않았다.

2022년 4인 가구 최저 생계급여가 1,536,324원이다. 최저 생활비는 3,072, 648원이다. 평균생활비는 5,121,080원이다. 민중의 삶은 이러한데도 풍산개 키우는 비용 250만 원을 읊고 징징거리는 양산의 문재인 모습은 제정신인지 묻지 않을 수 없다. 퇴임 후 사라진다는 약속은 허구한 날 뉴스의 중심에 서고 싶어서 안달이다. 허접한 좀비 국개(국회의원)들과 산에 다니다 보면 아무리 물 좋고 공기 좋은 시골에 살아도 정신을 올바로 하기는 어려울 것이다.

펀드니 라임이니 온갖 금융 범죄로 시끄러운 5년이었다. 돈이 그리도 탐이 나면 사업을 하라. 장사하라. 왜 국민의 머슴으로 일해야 할 국가기관에 자리를 차지하는가? 얼마나 부동산에 환장했으면 청와대 자리마저 던지는 데 주저함이 없는가? 이런 자들로 5년을 허송세월했다. 촛불을 쓰레기통에 처박아 버렸다. 이 죄만으로도 감옥은 차고 넘쳐야 한다.

이제라도 일말의 국민 사랑하는 마음이 있다면 문재인과 이재명, 민주당 국회의원 등 주요 인사는 한 사람도 빠짐없이 광화문 광장에서 피눈물로 참회와 용서를 구하라. 그렇게 국민의 용서가 닿을 때 깃발이든 투쟁이든 올리고 나서라. 그 길만이 차가운 철창에 가지 않는 백신이다.

참회와 용서에 분명한 메시지를 담아라.

기후 위기 관련 입법, 토지공개념 정착, 투자(투기)로서 부동산 정책 전면 폐지, 노란봉투법 제정, 국제노동기구 권고 조치 즉시 이행, 농산어촌 보호·지원 입법, 국가보안법 폐지, 모든 차별폐지, 지소미아 폐지, 재벌개혁, 금융개혁, 공무원, 교사 등 노조·정치할 권리 인정 및 최저임금 대폭 인상, 서민경제 지원 및 활성화, 평화협정 체결, 군인·무기 감축, 남북교류와 협력 (개성공단 재개, 금강산 관광 등 즉시 이행) 국민발안제·국민소환제·국민투표제 입법, 5:5 정당명부 비례대표제 실시, 검찰의 기소청, KAL858기·천안함·세월호·이태원 참사 등 미제 사건 확실한 진상규명 및 책임자 처벌, 공권력 살인 및 폭력 희생자 구제 및 처벌법 제정(국정원, 검찰, 경찰, 국세청, 감사원 등), 서울공화국 해체 등 결의를 보여야 한다. 근본적인 개혁도 있을 수 있지만 현재 조건에서 할 수 있는 것들을 반드시 하겠다는 대오각성의 참회와 용서를 구해야 한다.

죽 쒀서 개 준다는 말이 있다. 지난 문재인 민주당 정권의 5년은 몸소 이를 보여주었다. 석열이와 국힘을 쫓아내도 다시금 참회와 용서가 없는 민주당 정권이라면 누가 이를 바라겠는가. 물론 대깨문이니 개딸이니 하는 좀비 팬덤은 예외로 하자. 또다시 죽 쒀서 개 주고 후회하고픈 국민은 없다.

민중이 조금이라도 믿을 수 있는 신뢰가 있어야 하지 않겠는가? 이에 대한 전제가 없는 촛불은 사기에 지나지 않는다. 이재명 민주당이 아무리 울고불고 징징거려도 소용없다. 백약이 무효다.

2023년 7월 23일 '퇴진' 구호의 유감'
  - 누구를 무엇을 위한 투쟁인가?

윤석열이 대통령이 되었다. 국민의힘 후보로서 선출된 윤석열의 행보는 상상 그 이상의 막가파식 행보를 하고 있다. 윤석열의 이런 행태는 검찰총장 이전부터 본인의 소신이었는지 아니면 정치적 활로를 찾기 위한 극우적 행태인지 명확하지 않다. 분명한 것은 지난 시절의 대통령 누구보다 무소불위의 말과 행동을 하고 있다. 윤석열은 수십 년간 쌓아 올린 민주화의 영광을 누리면서 그 혜택을 치욕으로 되갚고 있다. 그 든든한 배경은 검찰총장 출신으로서 검찰의 힘을 가진 그를 그 누구도 건드리지 못할 것이라는 '법꾸라지' 검찰의 자신감이다.

동포와 민족은 동맹에 우선하지 않는다. 민족의 생존과 경제도 한미일 동맹에 우선할 수 없다. 심각한 경제 위기와 전쟁 위기에 내몰리고 있다. 미국과 일본은 최대한 존중되어야 할 동맹이다. 일본의 사죄와 참회는 가슴 아픈 일이다. 우리의 반쪽, 이북은 적이다. 그 이상도 이하도 아니다. 종전과 평화협정은 반국가세력에 지나지 않는다. 세상의 모든 것을 만드는 노동자는 짓밟아야 할 적이다. 윤석열을 찬양하지 않는 자는 적대세력에 지나지 않는다. 참담한 국정 상황이다. 참혹한 윤석열 정권의 민낯은 앞으로도 수년간 지켜봐야 한다.

촛불혁명은 패대기쳐지고 말았다. 민주당 문재인 정권의 5년은 국민의힘 윤석열 정권의 탄생으로 끝나고 말았다. 이렇게 만든 자들은 그 어떤 책임도 반성도 없다. 있다면 개와 감자와 책방, 파안대소하는 자들의 여유롭기 그지없는 일상의 화기애애한 모습이다. 이들을 위해 눈물 나게 노력을 기울이는 자들이 있다. 김민웅, 김근수, 류근, 황교익, 유시민, 김어준 같은 자들이다. 지금의 상황을 초래한 자들에 대해 일언반구라도 반성과 용서, 책임을 구하지 않는다. 그저 진영으로 모든 걸 몰아가는 일에 깃발을 높이 들고 있다. 민주당 문재인 정권과 이재명 구하기에 전위를 자임하는 부끄러운 진영논리의 대변자들이다. 반성과 사죄가 없는 이들의 투쟁 구호는 그저 공허할 뿐이다. 부끄러움과 염치를 모르는 파렴치다.

일부 진보 운동진영의 모습은 진영의 앞잡이로서 투쟁 대오를 이끄는 자들과 차이가 없어 보인다. 운동은 관성과 게으름에 자리를 내주고 말았다. 박근혜 탄핵과 퇴진의 결과를 문재인 민주당 정권 5년은 확인시켜 주었다. 국민은 위선과 가식, 내로남불 정권에 회초리를 들었다. 윤석열과 김건희, 국민의힘의 더러움과 범죄를 알고도 뽑았다. 윤석열과 김건희, 국민의힘이 어떤 세력인지 모르고 윤석열 정권이 들어선 것이 아니다. 이들의 범죄와 추악함을 알고도 국민은 선택했다. 국민은 위선과 가식, 내로남불이 끔찍했다. 정세가 이러한데 아무런 전제 조건도 없이 '퇴진' 구호를 든다고 해서 국민이 움직일 것으로 생각하는, 그 천진난만한 순진함이 그저 안타까울 뿐이다.

자본주의 체제, 자유민주주의 국가의 꽃이라는 선거를 통해서 집권한 정권을 무조건 '퇴진'하라고 하는 것은 80년대식 투쟁의 관성이다. 전광훈류의 극우세력은 5년 내내 문재인 정권 '퇴진'하라고 외쳤다. 이런 자들에게 국민은 안중에 없다. 진영으로 갈라진 거대양당의 싸움이다. 박 터지게 싸우는 조선시대판 당쟁이다. 민주당은 그렇다손 치더라도 진보 운동진영은 좀더 과학적이고 세련된 투쟁을 조직해야 한다. 시대와 민중의 요구를 바르게 실현하는 노력이 필요하다. 박근혜 퇴진의 학습은 국민의힘 윤석열의 자신감이다.

2022년 11월경에 '백약이 무효다'라는 글을 썼었다. 국민의힘 윤석열 정권의 탄생을 만들어낸 문재인과 민주당 정권의 반성과 사죄, 참회가 선행되어야 한다는 글이었다. 이 주장은 여전히 진행형이다. 민주당과 지지자들의 투쟁은 그들의 투쟁이다. 딱히 뭐라 할 이유는 없다. 다만, 국민적 지지와 투쟁을 바란다면 '반성과 사죄, 참회'는 하루라도 빠르게 선행되어야 한다.

사드 폐기, 지소미아 폐기, 휴전협정 종전과 평화협정, 유엔사해체 및 군 작전지휘권 확보, 국가보안법 폐기, 검찰의 수사

청, 기소청 분화, 파견 노동자 보호법(비정규직 양산법) 폐기, 최저임금 산입범위 폐기, 사업장 점거 쟁의 금지 폐기, 상급 단체 종사자 노조 출입 금지 폐기, 중대재해기업처벌법의 기업 살인법 제정, 노란봉투법 제정 등 국제노동기구 수준의 노동자 권리 보장, 국회의원을 비롯한 모든 선출직 3선 연임금지, 읍 면동 주민자치, 국민발안제, 무상교육, 무상의료, 무상주거권, 국민의 기본권 보장 등 정책 투쟁과제를 전면에 걸고 투쟁해 야 한다.

정책투쟁과제가 보이지 않는 투쟁은 '죽 쒀서 개 주는' 역사를 반복하게 된다. 민주당을 비롯한 제 정당에 투쟁과제를 분명히 밝혀야 한다. 합의해야 한다. 합의되지 않는 정당의 투쟁에 동 원되는 들러리는 필요 없다. '퇴진' 구호는 블랙홀이다. 투쟁의 과제를 사라지게 만들어 버리고 만다. 그 결과는 민주당 문재 인 정권의 5년이었다. 국민은 안중에 없고, 기득권 정권의 향 유만 풍성했었다. 또다시 문재인 민주당 정권의 5년과 같은 민낯을 되풀이할 수는 없다. 그렇다면 우리가 만들어 가야 할 세상의 과제를 앞세워야 한다. 특정 정권의 부하, 종노릇은 권 력의 주인이라는 국민의 몫이 아니다. 정책투쟁과제를 중심으 로, 국민의 이익 민생을 우선으로 하는 투쟁이 필요하다.

사분오열된 진보정당, 진보세력의 분열은 그 자체로 역사와 민중 앞에 죄가 되고 있다. 거대양당의 무도함과 패악질을 그저 지켜보게 만들고 있다. 어찌해볼 수 없는 역사의 잔인한 시간이다.

〈'퇴진' 구호의 유감 – 누구를 무엇을 위한 투쟁인가?〉 글에 김치문 선생이 의견과 답신이다.

그럼 어떻게 해야 합니까?

1. 민주당이 사죄와 반성을 진솔히 하지 않을 것이라는 걸 잘 아시지 않습니까? 그런데 이를 전제로 해야 퇴진 투쟁이 가능하다고 한다면, 마냥 민주당의 반성을 기다리고만 있어야 합니까?

– 민주당의 사죄와 반성을 촉구해야 합니다. 민주당의 사죄와 반성이 전제되지 않는 민주당의 투쟁에 함께할 이유가 없습니다. 변화와 혁신이 없는 민주당에 다시금 권력을 줄 수 없음을 분명히 해야 합니다.
– '퇴진' 구호는 실질보다는 선동에 가깝습니다. 현재 조건에서 현실성도 없습니다. 박근혜 학습은 국민의힘이 탄핵이나 협

조를 사실상 불가능하게 만들고 있습니다.

- 계급, 계층, 부문의 요구에 따른 투쟁은 해당 투쟁 주체의 요구에 따라 투쟁하면 됩니다.

2. 박근혜 퇴진 투쟁이 과연 우리가 제대로 된 정책과제를 제시하지 않아서 결국 실패했나요? 오히려 너무 많다 싶은 투쟁과제, 정책과제들이 제출되었지만, 정작 퇴진 후 많은 사람의 사랑을 받는 올바른 정당. 후보를 가지지 못하고, 수저만 올린 민주당이 그 혜택을 죄다 가져가서 그런 것 아닐까요? 올바른 정당을 만들고 키워가야 하는 문제이지 정책과제를 중심으로 투쟁하지 않았기 때문이 아니지 않습니까?

- 박근혜 퇴진 투쟁은 성공했습니다. 퇴진으로 권력을 잡은 민주당 문재인 정권이 촛불혁명의 성과를 패대기치고 말았습니다. 정책투쟁과제를 선명하게 제시하지 못했습니다. 민주당 문재인 정권에 강제하지도 못했습니다. 다시는 이런 일이 반복되어서는 안 됩니다.

- 진보정당, 진보 진영의 사분오열은 현재 쉽지 않은 과제입니다. 이와 별개로 모든 투쟁 단위에 정책투쟁과제를 명확히 해야 합니다. 민주당 등 정당과 연대는 합의된 투쟁과제를 중심으로 한 공동투쟁입니다.

169

3. 선거를 통한 집권 당국에 대해서. 그럼 요즘 프랑스를 어떻게 생각하시는지요. 잘못된 국정운영을 바꿀 어떤 의지도 철학도 능력도 없는 것들에 대해 그럼, 남은 4년 내내 "~ 해라"는 요구 투쟁만 해야 합니까? 결과가 너무 뻔하지 않나요?

- 프랑스와 우리의 투쟁은 역사와 주객관적 조건이 다릅니다. 주체의 역량이 필요하다면 어떤 투쟁도 병행할 수 있습니다.

답답한 마음 백번 공감하나, 이 모든 것을 진영논리에 묻힌 자들이, 혹은 자기도 모르는 사이에 민주당 진영논리에 끌려가고만 있다고 보는 것은, 말씀하셨듯이 지지 못 받는 민주당에 대한 지나친 과대평가입니다. 그래도 깨어있는 수많은 분에 대한 지나친 과소평가 아닐는지요?

- 한국 사회에서 진보정당이라 불리는 정의당, 진보당조차 민주당 2중대를 앞다퉈 자임해온 역사입니다. 민주노총 등 기층 민중 운동진영도 민주당을 견인하기보다는 민주당에 흡수되는 모양을 보이고 있습니다. 민주당의 반노동에도 불구하고 말입니다.
- 운동진영이 좀 더 세련되고 과학적인 투쟁 대오를 만드는

노력에 힘을 쏟아야 합니다. 섣부른 '퇴진' 구호는 양치기 소년의 늑대 현상을 가져올 수 있습니다.

우리는 동학농민전쟁, 대구인민항쟁, 4.19, 5.18이, 87년 6월 항쟁, 촛불혁명 등 자랑스러운 투쟁의 역사를 가졌습니다. 당장에 뚜렷한 해결 방도가 없다고 해도 인민의 자주성과 역동성을 믿고 싸워갔으면 합니다.
그것이 힘 있는 대안 정당. 대안세력. 후보가 없는 현재의 조건에서 우리가 할 수 있는 최선이 아닐는지요. 진영논리에 대해 날카롭게 투쟁하면서 말입니다.

#종미부일_거대양당체제는_미제의분단식민지지배체제!
#국가보안법철폐_국정원해체없는_통일의지_평화의지_검찰개혁은_쌩구라!
#민중집권_조국통일로_민중해방세상_쟁취하자!

- 공감합니다.

어리석은 꿈

2023년 5월 13일 '나쁜 놈, 역겨운 놈 그리고'

나쁜 놈, 역겨운 놈 그리고

친일매국노가 일제강점기의 부와 권력을 유지하기 위해 똬리를 틀었다. 그렇게 이어진 역사가 국민의힘이다. 이들의 손과 발은 온통 민중의 피로 얼룩져 있다. 우리 역사는 매국노를 쓸어내지 못했다. 매국노는 변화무쌍 음흉함으로 현재에 이르고 있다. 물론 그 배후에는 지구상 악의 축이라는 미제국주의가 있다.

도긴개긴 그 나물에 그 나물이라고 할 수 있는 또 한 축의 정치세력이 있다. 온건한 친일파로 불리는 한민당이다. 그 후신으로 현재 민주당에 이르고 있다. 김대중이 흡수한 재야 세력

영입을 통해 체질의 변화를 도모할 수 있었다. 그러나 도로 아미타불이 되고 말았다. 그 역겨움이 민주당 586의 모습이다.

윤석열이 무지, 무능 하다못해 최악의 대통령이 되고 있음은 명확하다. 그런데도 윤석열 퇴진 투쟁이 씁쓸하다. 이승만·박정희·전두환·노태우에 이르는 타도 투쟁으로 쉼 없이 달려온 투쟁의 역사다. 4.19혁명, 518항쟁, 6월항쟁, 789노동자대투쟁 등 독재를 쓰러뜨렸다. 박근혜(최순실) 국정 농단은 촛불혁명으로 끊어냈다.

단군 이래 최고의 호조건 속에서 '촛불정부'라는 문재인 정권이 들어섰다. 문재인 정권의 5년은 위선과 가식, 내로남불의 전형이 되었다. 촛불혁명의 위대한 역사는 시궁창에 패대기쳐지고 말았다. 5년 동안 문재인 정권의 몰골은 위선과 가식의 내로남불 립쇼가 전부였다. 그 결과의 끝은 윤석열이라는 대통령을 낳았다.

지난 시기 독재정권을 무너뜨리고 그 과실을 주워 담은 세력은 온건한 친일파의 후손이라 불리는 민주당이었다. 박근혜, 이명박을 감옥에 보내고 그 과실을 독차지한 세력은 민주당 문재인 정권이었다. 이들은 절대적 오만과 독선에 사로잡혔다.

기준은 오직 국민의힘이었다. 국힘과 비교해 민주당은 정의와 민주의 절대지존이 되었다. 오만과 독선에 사로잡힌 민주당은 건전한 비판과 문제 제기를 거부했다. 철저히 갈라치기로 빠와 좀비의 위력을 보여주었다. 억압하고 탄압했다. 그 대상은 민주노총이었고, 전농이었고, 노점상이었고, 소수의 진보정당 세력과 민중이 주인 되는 세상을 만들기 위한 운동 세력이었다.

희대의 악법이라는 국가보안법은 질긴 생명력으로 깃발을 높이 흔들고 있다. 노동조합, 노동관계 악법은 두텁다. 최저임금에 '산입범위'라는 희한한 개념을 도입했다. 금강산, 개성공단 등 남과 북의 실질적 협력은 능라도 경기장의 공허한 메아리가 되었다. 친미 매국은 쌍생아의 경쟁이다. 일제는 필요에 따라 정권의 안위를 위한 '죽창가'로 나타났다. 민주화유공자법조차 농성과 단식을 하는 지경이다. 민생민권은 보이지 않았다. 문재인 민주당 정권은 몇 프로의 지지율과 입에 발린 립쇼의 마술에 빠졌다.

윤석열 퇴진 투쟁 그다음이 보이지 않는다. 박근혜를 탄핵하고 감옥 보낸 결과는 배신과 참혹함이었다. 다시금 민주당 문재인 정권의 5년을 재현하자는 것인지 묻지 않을 수 없다. 민주당 문재인 정권의 역사적 책임과 죄과에 대해 진심 어린 반성과 사죄 소리를 듣지 못했다. 반성과 사죄 없는 민주당에 다시금 정권을 맡기기 위해 투쟁해야 하는가?

지금도 그들은 여전히 화려한 휴가를 보내며 미화하는데 정신이 없다. 문재인·조국·김남국·박원순·송영길·이재명 등 내 편을 보위하고 지지하는데 어떠한 의심도 문제의식도 없다. 호불호는 있을 수 있지만, 지금 이들에게 보내야 할 주문은 채찍이다. 무조건적 지지로서 빠와 좀비의 모습은 아니다. 돈과 권력에 취해 정신을 놓아버린 자들의 반성과 사죄가 전제되어야한다.

내 편이 아니면 무조건 적으로 몰아붙이는 진영과 진영논리는 민주공화국의 암이다. 그 내 편도 수시로 그때그때 달라진다. 오늘은 내 편, 내일은 적. 오늘은 적, 내일은 내 편이다. 이 무슨 해괴한 시대의 진영놀음인가?

한때 시민단체라는 이름으로 나름 역할을 했던 '시민단체'는 이제 거의 씨가 마르고 말았다. 진영의 도구로 전락했다. 민주당 정권의 나팔수가 되고 말았다. 소수의 운동진영만이 거대한 양대 진영으로부터 외로운 싸움을 하고 있다. 정신을 놓지 않은 세력의 단결과 치밀한 운동이 절실히 요구된다. 세상을 바꾸겠다는 자들이 단결을 반대하는 것은 얼마나 안타까운 일인가? 이유와 변명거리로 눈 가리고 아웅이다. 단결을 유지하고 높이는 방안을 찾는데 게으른 것에 지나지 않는다. 똑똑한 자들의 대의제, 엘리트 기득권에 사로잡힌 낡은 개념의 포로에 지나지 않는다.

윤석열 퇴진 투쟁이든 '그 무엇이든 구체적인 투쟁의 목표가 나열되고 합의'되어야 한다. 목표와 합의가 전제되지 않은 투쟁은 신기루에 지나지 않는다. 죽 쒀서 개 주는 역사는 이제 끝내야 한다. 민주당 문재인 정권의 5년이면 위선과 가식, 내로남불은 충분했다. 내 편이 아니면 적이라는 진영과 진영논리는 이제 끝내야 한다. 화살의 목표는 명확해야 하고 정확하게 날아서 박혀야 한다.

2023년 10월 22일 '어리석은 꿈에 놓였다'

생각해보면 인간이라는 '자아'를 갖기 시작할 때부터 나는 어리석은 사람이었다. 또 원대한 꿈을 꾸는 사람이었다. 그 어리석음과 원대한 꿈이라는 것이 특별하지 않다. 아니 대단히 특별한 것이다. "돈과 탐욕, 지배와 구속이 없는 아름다운 세상, 나눔과 정이 있는 공동체, 환한 미소와 웃음이 넘치는 평등한 인간 사회다."

나는 젊은 날에 학습과 조직, 실천 속에 사회과학으로 무장한 전사를 꿈꾸었다. 투철한 사상 의식과 강철같은 조직을 통해 세상의 혁명을 꿈꾸었다. 한 줌도 안 되는 소수 지배계급의 세상이 아니라 노동자, 농민, 서민이 주인 되는 세상이었다. 이 어리석은 꿈은 지금까지 이어지고 있다.

이제는 나이를 제법 먹었다. 내가 젊은 날 꿈꾸며 치열하게 달려 나갔던 나이보다 자식들의 나이가 더 많다. 그런데도 나는 여전히 미련곰탱이처럼 살고 있다. 꿈을 꾸고 있다.

나의 이런 중심에는 인본주의, 휴머니즘이 자리한다. 인간이 인간을 구속하고 지배하며, 차별하고 억압할 수 없다. 일찍이 만적이 외쳤던 '왕후장상의 씨가 따로 있더냐?' 하는 평등 세상이다. 각각이 하는 일은 다르더라도 인간은 인간으로서 존엄과 가치를 가진 존재다.

'인민', '대중', '국민', '시민', '민중' 무엇으로 불리든 사람이 하늘이고 사람이 정의이며, 역사다. '개체로서 인민'과 '역사의식으로서 인민'의 차이에 대한 이해를 올바로 세우지 못하면 우리는 끊임없이 '인민'으로부터 상처와 배신을 갖게 된다.

한 줌밖에 안 되는 지배계급의 사슬에 놓여 있는 '인민'은 살기 위해 몸부림치는 생존의 현실에 놓여 있다. 그 현실은 아주 녹록지 않다. 현실을 살아내야 하는 우리의 삶은 피와 땀, 목숨의 담보를 요구한다. 물론 지배계급은 물 흐르듯이 교묘하게 인민의 영혼을 잠식하고 있다. 이들에게 지배와 피지배의 인간 세상은 당연하다. 못난 피지배계급이 분열하고 싸우도록 온갖 이념과 주의, 주장으로 포장하고 영혼을 마비시킨다.

작은 것이 소중하고 작은 것이 존귀한 것은 '인민'의 속성이다. 돈 없고 권력 없고 명예 없는 '인민'은 땅이요, 거대한 뿌리가 되며, 살아 호흡하는 생명이다. 물론 하루, 한 달을 풀칠하며 살아내야 하는 인민은 때로 상처와 갈등 속에서 머리가 깨지고 피가 터진다. 볼썽사나운 모습을 보인다. 전쟁 같은 삶을 살아내야만 하는 인민의 현실이다. 그 과정에서 보이는 인민의 모습이 전체이고 본질이라고 해석하거나 단정 짓는 것은, 전체와 역사를 보지 못하는 우를 범하게 된다. '개체로서 인민'과 '역사의식으로서 인민'이 가지는 차이에 대해 이해를 바로 세워야 한다.

"통합이 안 된다는 사실을 잘 알고 있으면서, 각개약진의 그럴싸한 이유도 잘 알고 있으면서, 또 그것들 때문에 각자도생으로 각개약진이 당연함을 너무너무 잘 알고 있으면서도 매번 대통합이나 대동단결을 외치는 것은 속이 빤히 들여다보이는 작위적 명분을 쌓으려는 것이 아닌가?" 이런 주장과 비아냥이 이렇게 글을 쓰게 만들었다. 나는 이런 주장과 인식에 전혀 동의하거나 공감하지 않는다. 나는 여전히 대통합과 단결을 주장한다.

진보정치 하나로, 진보정당대통합, 진보진영대단결을 이뤄내지 않고서 어리석은 꿈을 실현할 방도를 찾지 못하기 때문이다. 통합과 단결 없이 '헬조선'을 극복할 대안이 무엇인가? 대안이 있다면 나는 그 대안을 존중할 것이다. 그러나 아직 대안을 확인하지 못했다. 물론 100퍼센트 자유시장경제 체제를 주장하는 부르주아지 더불어민주당을 대안으로 생각한다면 굳이 논의를 길게 이어갈 이유는 없다. 강도 일제와 한 몸으로 매국노 짓을 하고 부귀영화를 누렸던 국민의힘, 한 몸으로 매국노 짓을 하지는 않았지만 적당한 거래와 수동적 보신으로 매국노 짓을 한 더불어민주당은 본질에 있어서 큰 차이가 나지 않는다. 지금 두 당의 정책은 건건이 비교해봐도 큰 차이를 확인하기 어렵다. 집권하고 있느냐 아니냐에 따라 그때그때 다를 뿐이다.

미제를 축으로 한 지구상의 전쟁과 무기는 늘 천사로 미화되고 있다. 매일 7명의 노동자가 일터에서 죽는다. 젊은이가 모든 것을 포기하는 세상이다. 자본가와 부르주아지 권력은 주거니 받거니 부(탐욕)를 축적한다.

내 삶은 늘 어리석은 꿈을 꾸고 있다. 독재 타도, 미제 축출, 평화통일, 노동해방, 평등 세상 등 꿈은 진행형이다. 그놈이 그놈이라는 거대양당 체제의 지속은 '헬조선'의 지속에 지나지 않는다. 민주당 정권이라고 해서 '헬조선'은 다르지 않았다. 거대양당 체제는 끝내야 한다. 인민의 이해와 요구를 한 단계 높이고 실현할 수 있는 진보정치 하나로, 진보정당대통합, 진보진영대단결은 그 길로 가는 작은 꿈이다.

비우고 낮아져 땅이 되는 스펀지는, 일상에서 어리석은 꿈을 꾸는 자의 몫이다. 돈과 권력이라는 위선과 가식, 탐욕이 아니라 비우고 낮아지는 어리석은 삶이다. 인간으로서 '자아'를 가

지며 꾸는 꿈이다. 그 어리석은 꿈은 계속이다. 인생은 꿈이고
이승은 꿈이 펼쳐지는 마당이다.

인간으로서 죽을 권리

2024년 3월 31일 '심장 압박, 심폐소생술'

친구야, 다시금 말하지만, 갑자기 쓰러지더라도 심장 압박, 심폐소생술 그런 것 절대 하지 마. 잠깐 그대로 둬. 그런 것 해서 살려내면 엄청나게 화낸다. 주변에 하는 말이다. 이런 일이 생길 수도 있으므로 미리 대비하는 차원이다.

죽을 때 잘 죽고 싶은 욕심이다. 어쩌면 가당치 않은 큰 욕심이다. 의연하고 편안한 표정으로 죽고 싶다. 억지로 목숨을 연장하는 짓은 하고 싶지 않다. 그저 죽음의 순간이 닥치면 자연스럽게 죽고 싶다.

백세시대라 일컬어지고 있다. 오래 살고 싶은 인간의 욕망이 수명을 늘리고 있다. 몸을 가꾸고 건강 속에서 오래 살려고 하는 분위기가 만연한 시대에, 나의 이런 생각이나 주장은 배부르거나 황당하고 미친 소리처럼 들릴 수도 있을 것 같다.

사람마다 각자 생각하고 상상하는 느낌과 바람은 다를 수 있다. 불혹, 지천명을 지나 이순에 이르렀다. 이제 청년이라 하는 사람도 있다. 1950년대 소설에는 나이 50대를 노인이라 표현하고 있다. 짧은 기간에 한국 사회가 크게 변화한 걸 느낄 수 있는 대목이다.

이순이면 많이 살았다는 생각이다. '덤'의 인생이었다. 고문과 폭력, 폭행과 살인으로 죽어간 민중과 열사의 죽음이 있었기에 가능했던 삶이다. '덤'의 인생으로 주어진 생명줄인데 무에 더 큰 욕심을 부리겠는가!

생각할수록 안타까운 것은 나를 '덤'으로 살게 했던 생명들이 좀 더 살았다면 얼마나 좋았을까 하는 마음이다. 훌륭하고 귀한 생명들이 오래 살았다면 위선과 가식, 내로남불의 더러운 사회가 되지는 않았을 것이다. 지옥한국(헬조선)은 분명 끝장났을 것이다.

나는 부족하고 무능한 목숨을 연장만 하고 있다. 생명이 연장

되는 과정은 무기력하고 실패한 느낌으로 얼룩진다. 씁쓸하고 괴로운 감성이 쌓인다. 평등, 해방, 자주, 민주, 통일, 정의 등 '세상을 바꾸자.'는 구호와 실천은 대립과 분열 속에 빛을 잃고 있다.

'적대적 공범'이라는 표현이 겹친다. 상대를 악귀로, 천하의 개잡놈으로 치고받고 살벌하게 싸운다. 카메라가 치워지고, 어두운 밤이 되면 그 싸움은 '사랑놀이'의 애교가 넘친다. 물론 당쟁에 몇 놈이 피 흘리는 일은 늘 있는 과정의 부산물이다.

다시금 언급이 필요하다. 몸의 어떤 신호로 죽는 그림에 놓이면 절대 심폐소생술 같은 행위는 필요 없다. 심폐소생술과 별개의 바람이 있다. 피붙이가 앞장서는 일이 없기를 바란다. 현실에 놓인 바람이다. 가슴에 통증이 인다.

한 줄기 바람이면 족하다. 할머니, 할아버지가 바람에 놓였고, 아버지도 바람이 되었다. 내가 놓일 곳은 이미 지정되었다. 그저 바람에 흩날리면 충분하다. 모양성 아름다운 풍광은 위로와 평안이다. 구름 몇 점에 별이 총총한 하늘이다. 부드러운 바람이 살갑다.
에고, 살아 있다. 오감을 몽땅 열자. 세상을 바꾸자.

※ 인간의 존엄은 '죽음'에 있다. 출생은 나의 의지와 무관하지만 죽음만큼은 인간의 의지일 수 있어야 한다. 인간이 인간일 수 있음을 확인할 수 있는 장면은 '죽음'에 있다. 세상의 그 어떤 생물도 죽음을 결정할 수 없지만, 인간은 죽음을 결정할 수 있다.

인간과 동물의 차이는 '죽음'에 있다. 인간은 국가와 사회를 이루고 산다. 국가와 사회는 인간에게 아름다운 죽음에 대해 지원할 의무가 있다. '죽음'은 인간이 누릴 수 있는 '최고의 복지'다. 이 복지가 없는 곳에 '자살'의 통계는 높게 잡힐 수밖에 없다.

조력사, 존엄사, 안락사 어떤 표현이라도 좋다. 극심한 고통 속에서 벗어나거나 치료할 수 없다면 그 당사자의 결정과 선택에 대해 존중해야 한다. 60살 이상의 삶을 산 사람이라면 극심한 고통 여부를 떠나서 그 사람의 선택과 결정을 존중해야 한다. 국가와 사회의 존재 이유일 수 있다.

백세시대, 영원한 삶을 꿈꾸는 사람은 원하는 대로 살면 된다. 그렇다고 '죽음'을 선택한 사람에 대해 시시비비하지 말아야 한다. 특히나 종교 운운하는 바보짓은 더욱 멍청한 짓이다. 죽음에 따른 의학적, 사회적 준수와 검증 시스템은 당연한 규정이다. '죽음'에 대한 국가와 사회의 보장은 '최고의 복지'다.

나는 스위스 등 외국에 가서 죽는 일이 없었으면 한다. 솔직히 비용도 많이 든다. 국내에도 빠르게 '조력사법'이 만들어져 '자살'이라는 오명을 쓰지 않았으면 한다. 합법적 죽음에 놓이고 싶다.

언제쯤인가 '이제 죽어야 할 때다'라는 생각이 들고 최고의 복지 '죽을 권리'의 존중으로 행복한 죽음에 이를 수 있기를 바란다.

주상이 형

2009년 8월 14일 '주상이 형'

주상이 형이 죽은 지도 벌써 1년이 되었다.

그런데도 나는 여전히 그의 죽음이 실감 나지 않는다. 믿기지 않는다.

암을 진단받기 직전이었던가. 계절도 생각나지 않는 어느 날 주상이 형과 박광혜 선배를 호계 구사거리 골목길에서 마주쳤다. 환하게 웃는 얼굴은 따스한 햇살로 한결 아름다웠다. 그 장면이 자꾸만 선하게 눈앞에 아른거린다.

두 사람의 표정과 모양에서 느껴지는 넉넉하고 온화함, 마냥 기대어 쉬어도 좋을 듯한 선한 미소와 둘이 맞잡은 손 그리고 아름다운 걸음걸이였다.

나는 이렇게 자꾸만 그 모습으로 놓이는데, 이제 그는 더는 만지고 볼 수 없는 사람이 되었다.

최주상은 최주채의 형이다. 한 사람은 나에게 신학대 선배이고, 한 사람은 나에게 신학대 후배이며 운동권의 핵심이었다. 안양에서 만나기 전에 기억은 딱히 뚜렷하지 않다.
1999년 봄쯤 내가 일하고 있던 시민종합법률사무소와 한무리 교회 간 축구 경기가 있었다. 거기서 만난 주상이 형의 기억이 뚜렷하다. 그 자리에 석동수 선배, 구본철 실장, 김호경 관장 등이 있었다.

그 해 우리 가족이 안양으로 이사하면서 아이들로 인해 한무리는 가까이할 수밖에 없는 공간이 되었다. 그해 99년 교회 송년회에서 보인 주상이 형은 목사입네 하는 근엄함이나 뻣뻣한 모습과는 거리가 멀었다. 하나 되는 공동체로 자연스럽고 여유로웠다. 좋았다.

나는 교회를 나가지 않기에 조금은 먼발치에서 지켜보는 입장이었다. 노동상담소, 쉼터, 공부방, 어린이집, 난치병, 쌀 나누기 그리고 너무도 많은 사람과 사업들. 그래서 그는 아플 수밖에 없었나 보다.

나는 주상이 형이 엮은 책을 보면서 흐르는 눈물을 닦는 데 급급했다. 주상이 형이 일상에서 살아가는 삶이 참으로 어려운 일임을 알기에 더욱 그러했을 것이다.

내가 받은 감동 그대로 주변에도 그 책을 읽어 보라고 권했다. 사람에 따라 말이 앞서고 번지르르하게 생색내는 일에 진심인 사람이 많다. 꼴불견이다. 이와 다르게 일상에서 자연스러운 섬김과 나눔의 삶을 살아가는 사람이 있다. 이런 삶이 얼마나 어렵고 힘든지 우리는 잘 알고 있다.

서민의 자식으로, 가장 낮은 곳이랄 수 있는 마구간에서 태어 난 예수의 모습대로, 낮은 곳에서 낮은 자의 모습으로 살기를 원했던 주상이 형. 형은 내 마음의 기쁨이요 존경이었다.

안양에서 가장 존경할 만한 사람이 내 보기에는 최주상 목사 라고 생각돼! 말이 쉽지 자기 새끼도 건사하기 힘든데 다른 아이들까지 키우고 돌본다는 게 얼마나 어려운 건데. 정말 훌 륭한 분이야! 운동 여부를 떠나서, 종교 여부를 떠나서 최 목 사처럼 사는 사람이 많으면 되는 거야! 나는 이렇게 말하곤 했다.

서민의 자식, 마구간, 십자가의 피로서 예수보다는 예수를 팔아서 큰 교회 짓고, 떼거지 성도 모아, 얼굴에 개기름 흘러넘치는데 급급한 쓰레기 종교 시대에 나는 주상이 형을 그리며 흠모한다.

나는 기독교 외에는 다 사이비라는 기독교만의 제일주의와 교회라는 울타리를 뛰어넘지 못하는 종교적 폐쇄성과 이중성이 너무 싫다. 특히나 한국의 현실 속에서 기독교를 볼 때 조중동을 폐간해야 한다는 생각처럼 기독교도 폐교 조치 되어야 한다는 생각이 든다.

그런데도 난 주상이 형이 하는 교회는 왠지 따스하게 다가온다. 강원도 횡성군 도계읍의 신리교회나 주상이 형이 하던 한무리교회라면 나는 그 자리에 마음을 줄 수 있다. 행복해진다.

사람이 사는 이유가 행복이라면 그 삶이 행복일 수 있음을 나눔과 베풂, 섬김으로 보여 준 주상이 형.

누구도 원하지 않았던 병으로 인해 이승을 떠났기에 안타깝고 아프고 억울하다. 그런데도 형을 생각하면 따뜻하고 아름답고 행복한 마음이 은은하게 밀려온다.

나는 최 목사님이나 그 어떤 호칭보다 그냥 주상이 형이 좋다. 내가 형이라고 부르는 사람이 별로 없어서 그런지 더욱 그냥 그렇게 부르는 게 좋다.

형을 말하고 노래하고 싶었는데 천성이 게으른 작자인지라 형 죽고 1년이 되어서야 겨우 이렇게 몇 자 적어 본다.

아이들 손발톱 깎는 걸 좋아하고. 물보다 진하다는 피도 묽어서 아름다울 수 있음을 삶으로 드러낸 주상이 형아!

※ *2008년 그리고 10년이 흘렀다. 박광혜 선배도 주상이 형을 따라서 하늘의 별이 되었다. 아무도 없는 늦은 밤 광혜 선배 앞에서 나는 하염없이 눈물을 흘렸다. 얼마나 아팠을까? 얼마나 힘들고 외로웠을까? 늦게 본 딸, 아들 둘을 놓고 별이 되어야만 했을 그 심정을 어떻게 헤아릴 수 있으랴. 나는 아무것도 하지 못하고 그저 지켜만 보고 있다. 나의 무능력에 발등을 찍는다.*

- 최주상, 박광혜 부부 -

양성모

201년 1월 1일 '양성모를 그리며'

성모에 대한 그리움을 어떻게든 노래하려고 수없이 생각했다. 그러나 쉽지 않았다. 일상이 이러저러한 약속과 술로 채워졌다. 천성이 게으른 나의 모자람으로 미루어지기를 거듭하다가 지금에 이르렀다.

그런다고 계속해서 미룰 수는 없었다. 그립고 사랑했던 성모다. 쓰기가 미뤄지면 나에 대한 자책과 괴로움은 커져만 갈 것이다. 나의 긴장은 새해 벽두에 자리를 고쳐 앉게 했다.

성모야, 아마 2010년 11월 30일 마지막 날 이었던 것 같다. 한용이를 통해 네가 죽었다는 이야기를 듣게 되었다. 가슴에 통증이 일었다. 힘이 풀린 다리가 꺾였다. 눈물이 흘렀다.

상상할 수 없는 일이 벌어진 것이다. 그리고 그 소식이 다름 아닌 성모였다. 아픈 마음을 어떻게 해야 할지 알 수 없었다. 성모는 늘 나에게 미안하고 안타깝고 고마운 후배였다.

그래서인지 너도 나에 대해 늘 애틋하고 도와주지 못하는 미안함으로 스스로 부끄러워하곤 했었다.

너, 나, 우리는 늘 팽팽하고 긴장된 삶의 시간이었다. 시대를 어떻게 살아가야 하는가에 대한 철학과 인생이었다. 종교와 현실 세상의 삶으로부터 주어지는 고뇌와 갈등의 연속이었다.

희택이를 통해서 광나루 학교 기숙사에서 너를 만났다. 준수하게 잘 생겼던 성모는 마음도 선하고 반듯했다. 나에 대해 철학적이고 부잣집 아들로 보인다고 했었지. 기숙사 책장에 책이 많아서 좋았다고도 했었지.

우리는 압구정동 현대교회 기독학생운동 대학부 모임에 희택이, 성모랑 함께 하게 되었다. 소위 말하는 운동권 학생이 되는 과정이었다.

주말이면 너는 이천 집에 다녀왔고 부모님이 주신 용돈은 건대 앞 반달집, 실비집에서 술값으로 대부분 사용되었다.

너는 늘 그렇듯 뒤를 생각하지 않고 용돈의 대부분을 뒤풀이에 선선히 내놓았다. 조금 실속을 차릴 법도 하건만 너는 그냥 그렇게 어려운 선배, 동료를 대신하곤 했다. 그때도 너는 그렇게 착하고 아름다웠다.

온갖 폼을 잡으며 부르는 성모의 노래는 좋았다. 네가 살아온 어린 시절의 야사는 늘 멋져 보였다. 대성리, 새터로 MT도 다니고 우리는 즐거운 시간이 많았다. 인문, 사회과학 서적으로 내공도 쌓아갔다.

학교 앞 칼바람 불던 형의 자취방이나 화양리 자취방에서 시간은 아름다웠다. 우리는 만남이 그냥 좋았고, 소주 한 잔, 담배 한 개비에도 멋있고 즐거웠다.

86년 5.3인천투쟁으로 선배, 동기들이 대부분 사건에 연루되면서 성모를 힘들게 했다. 그 해 10.28건대 애학투 투쟁으로 동기, 후배들이 거의 구속되면서 성모는 더욱 힘들고 어려워했다.

성모는 그 힘들고 어려운 순간을 피하고픈 마음에 군대를 선택하지 않았나 싶다. 네가 감당하기 어려울 만큼 어려운 시절이었으리라 생각한다.

선배, 동료, 후배들은 거의 구속되고, 공안기관의 촉수는 자꾸만 성모를 향해 날름댔으니 그 압박감이 얼마나 크고 힘들었으랴.

군대는 갔다 왔으나 여전히 시대는 너를 그냥 편하게 내버려두지 않았다. 다시금 질긴 인연으로 너는 운동권에 자리를 잡아야 했고, 평범한 학교생활을 하기는 어려웠다.

선배와 동기는 노동 현장으로 옮겼는데, 너는 홀로 부천의 공장에 들어갔고, 네 소식은 끊겼다. 그러다 어느 즈음엔가 불쑥 안산에 나타났다. 성모의 고민은 진행형이었다.

성모는 산과 계곡 어디든 혼자 생활하다가 나타나곤 했다. 유랑기가 있었다고 해야 하나. 학교를 떠난 뒤에도 성모는 이곳저곳에서 혼자 부대끼곤 했다. 조직 속에서 규율 있게 운동을 함께 할 수도 있었을 텐데.

왜 그랬을까?

너는 여전히 하나님과 운동의 중간지점에서 풀리지 않고 해결되지 않는 고뇌와 번민, 갈등의 연속이었다. 소식이 끊기고 잊힐 만하면 너는 다시금 나타나곤 했다. 그럴 때마다 너는 늘 신앙에 대한 네 나름의 철학과 입장에 대해 말하고는 했었다.

나는 여전히 그렇게 힘들어하는 네가 이제는 조금 그런 것에서 자유로워지길 말했었다. 스포츠도 잘하고 불교 서적 등 여러 방면에 늘 관심이 많았던 성모의 능력과 재주는 그렇게 시대와 세월을 타고 넘지 못했다.

너와 나는 지리산도 가고 백두대간 종주도 이야기했다. 산을 잘 아는 너는 늘 나에게 산을 가르쳐 준다고 했다. 성모는 평창에서 농사짓고 있다며 놀러 오라고 했다. 그렇게 너와 우리 가족이 보낸 시간은 사진 속에 살아 있다. 그냥 형을 만나는 게 좋아서 평창의 맛난 것과 멋진 곳을 읊고, 어떻게든 잘해주려는 네 마음은 언제나 따뜻했다.

시대와 신앙 속에 짊어진 성모의 짐은 가벼워지지 않았다. 성모의 고뇌와 갈등은 진행형이었다. 혼자서 먹던 술에 취하면

늦은 밤 전화해서 '형'하곤 불렀다.

"형, 걱정하지 마. 형 내가 다 알아서 도와줄 테니까"

그렇게 늘 너는 형과 운동으로 함께하지 못하는 미안함을 표시했다. 그런데 성모야 나는 어떡하냐! 네 모습이 너무도 선한데. 술에 취한 네 전화 음성이, 빙긋이 웃고, 홍길동처럼 동에 번쩍 서에 번쩍하던 성모가.

세월이 흐르고 나는 자책한다. 군대 후에 성모가 원하는 신학을 공부할 수 있도록 지켜볼 수 있었으면 하는 안타까움이다. 성모의 달란트는 그 길에 있었으면 훨씬 훌륭했을 텐데.

이제 너를 안을 수도, 소주잔도 부딪칠 수 없다는 사실이 도저히 믿기지 않는다. 네 마지막 가는 길조차도 볼 수 없었다. 네가 어디에 뿌려지거나 놓였는지 알 수가 없다. 술 한잔 올리지도 못하는구나. 가슴은 먹먹하고 아픈 그리움은 커져만 간다.

세상을 향해 꿍꿍대며 부대끼던 너는 아무것도 남김없이 가버렸다. 그날도 너는 홀로 고뇌와 괴로움을 털거나 이겨내기 위해 그 밤을 걸었으리라.

당장에라도 "에이 형도 참," 하고 나타날 것만 같다. 나는 우리 성모를 늘 사랑했다. 성모야! 그곳은 누구나 한 번은 가야 하는 곳이잖아, 꼭 행복하길 바란다. 그리고 보자.

착하고 착해서 평생을 가슴앓이만 한 우리 성모!
세상의 약한 사람들에게 늘 힘이 되고자 했던 성모!
생각하면 생각할수록 마음을 아프게 하는 우리 성모!
그렇게 나는 모든 기억을 예쁘게 간직한다. 성모야!
그렇게 세월 가면 만나자꾸나. 고맙고 사랑하는 성모야!

※ 성모는 2010년 11월 뺑소니 차에 치여 사망했다. 우리는 사고도 장례도 알지 못했다. 한참 지난 후에 성모 동생으로부터 한용이에게 전화가 와서 알게 되었다. 묘가 있는지 어디에 뿌려졌는지. 그리움만 쌓인다.

- 2009년 8월 태백에서(앞쪽에 양성모) -

⑨⑨ 나가며

2024년 상반기는 나에게 어떤 기록으로 남을까? 인생은 고행이다. 구속과 차별, 지배와 억압이 있는 불평등 '계급사회'에서 단 한 명의 인간도 자유로울 수 없다. 누구도 행복할 수 없다. 인간은 수단일 수 없다. 인간은 인간으로서 전부다. 불평등 '계급사회'는 돈과 권력을 가진 놈이나 풀뿌리 민중이나 결코 자유로울 수도, 행복할 수도 없다.

사랑이기에 분노하고 투쟁하며 살아온 인생이다. 그런데도 유독 2024년 상반기는 무기력하고 무너지는 느낌이다. 3월 20일 '봄은 오는데'라는 제목으로 쓴 글의 마지막 부분이다. 〈목련이 꽃을 피우기 위해 배를 뒤집고 있다. 작은 올챙이가 솜털이 보송보송 미끈미끈한 배를 뒤집어 내미는 모양이다. 며칠이 지나면 하얀 목련, 자주색 목련이 화려하게 피어날 것이다. 뒤이어 개나리, 진달래, 산수유, 벚꽃, 철쭉, 장미 등 세상의 모든 꽃이 색과 향기로 진동할 것이다.

햇살이 반짝이는 빛깔에 고통스러운 상처의 그림이 그려져서는 안 된다. 불행이 닥치지 않기를 바라지만 내가 어떻게 할 수가 없다. 바라지 않은 일 이후에 나는 어떻게 살아가질까. 가늠할 수 없는 봄의 기운이 스치고, 동백의 붉은 입술은 나를 어지럽게 한다〉 자식의 자살 시도에 나는 무너졌다. 아무것도 할 수 없었다. 무력한 시간이 흘렀다.

오랜 세월 운동의 대의에 함께 했던 동지가 갑작스럽게 아팠다. 5월 초 병원에서 '소세포 폐암'이라는 병명과 뇌로 전이되었다는 진단을 받았다. 아들의 후유증에서 조금씩 벗어나려고 하던 나는 다시금 무너지는 일상에 놓였다. 본문에 있는 '김영근 동지'의 이야기다. 백두대간을 완주했다. 근교의 산은 날아다녔다. 그렇게 건강하던 친구의 소식은 청천벽력과 같았다. 힘들었다. 무기력해졌다. 몸과 마음이 따로 놀았다. 이러다 내가 죽을 것 같았다. 이래서는 안 되겠다. 정신 차려야 한다고 생각하는데도 마음대로 되지 않았다. 두 달이 넘어가고 있다. 우선 적극적으로 사람 만나는 일에 집중해야겠다. 산 사람은 살아야 한다지 않는가.

우리 모두의 삶과 죽음은 사회적이다. 나의 삶은 사회성에 놓여 있다. 나의 삶과 죽음은 인민이 평등하고 행복할 수 있는 사회와 국가, 지구 별에서 존재 이유를 가질 수 있다. 사회적 존재로서 인간임을 확인한 자에게 인민이 평등하고 행복하므로 나도 행복할 수 있다. 부족하지만 그 삶을 살기 위해 바둥거린 속살의 기록이다.

죽 쒀서 개 주는 반복의 역사는 줄여야 한다. 정권을 주고받아도 왜 '헬조선'에서 한 발자국도 나아가지 못하는지 물어야 한다. 누구를 위한 투쟁이며, 정권교체인지를 물어야 한다. 특정 개인과 집단에 권력과 부의 빨대를 물어주는 반복은 퇴행이다.

1997년 IMF는 한국 사회에 '신자유주의' 체제의 더럽고 추한 민낯을 뿌려 놓았다. 권력의 노예가 되고, 돈의 노예가 되는 사회문화적 환경을 조성했다. '절대 악'을 세워놓고 '위선과 가식, 내로남불'이다. 부끄러움과 염치는 돈과 권력의 탐욕에 짓눌렸다. 민중운동 진영조차 '돈과 권력이라는 탐욕'에 물들어가고 있다. 민중과 하나 되는 삶으로서 운동은 사라지고 있다. 소외된 삶의 뿌리에 맞닿아 있던 진보좌파 운동가의 삶은 이제 돈과 권력, 명예로 일신을 보신하는 모양이 되었다.

비정규직의 정규직화는 구호가 대신하고 있다. 전교조, 기아자동차, 항공노조 등 수많은 사업장에서 비정규직은 당연한 것으로 치부되고 있다. 제1하청, 2하청, 3하청 노동자의 벽은 꼬리를 물고 있다. 법이 정한 최저임금 미만의 노동자, 특수노동자 등 온갖 이름으로 노동법 사각지대에 놓여 있는 노동자의 문제는 당사자들이 알아서 짊어지고 가야 할 문제가 되었다.

분단체제, 미제국주의의 종속국 위치에 놓여 있는 한국 사회 진보정당들에게 '단결과 투쟁'은 그저 집회의 구호에 지나지 않는다. 종북이니, 패권주의니 하는 분열의 거대한 담론에서 조금도 벗어나려 하지 않는다. 국회의원 몇 석이라는 콩고물에 숨이 막혀 있다. 민중의 고통과 참상은 정의당, 진보당, 노동당, 녹색당 등 각 당의 명분과 패권주의에 비하면 하찮은 것에 지나지 않는다. 도토리 키재기로 신자유주의 체제의 들러리로 빛이 날 것이다. 거대양당 체제를 유지하고 지속시키는 양념으로서 진보정당, 국회의원 몇 석의 진보정당, 노동 탄압국, 분단체제의 진보정당으로서 충분할 것이다.

시대의 정신은 '직접민주주의'다. 국가의 주인은 국민이다. 당의 주인은 당원이다. 노조의 주인은 조합원이다. 단체의 주인은 회원이다. 말로 하는 주인이 아니라 실제 주인이 되어야 한다. 이제 대의제·간접제는 아니다. 내려 먹이기식의 수직적 조직문화는 근절해야 한다. 직접민주주의로 바꿔야 한다.

추첨제, 보충성, 네트워크(연방제)는 직접민주주의의 기본원칙이다. 모든 선출직은 추첨제로 뽑는다. 추첨제에 대한 우려는 교육연수 과정을 통해 해결하면 된다.

당 대표, 대통령 후보, 국회의원 후보, 광역시·도지사 후보 등은 최소한 2년 정도의 교육과정을 개설하고 90% 이상의 출석률과 교과의 이행을 검증받아야 한다. 지구당 위원장, 시군구 선거 후보, 노동조합 위원장, 시민단체 대표 등은 최소 1년 이상의 교육연수 과정을 수료해야 한다. 세세한 사항은 정책단위 등을 통해 좀 더 치밀하게 채우면 된다.

보충성은 아래에서 할 수 있는 것에 대해 위에서 개입하지 않는 것이다. 아래의 요구가 제기되거나 아래에서 스스로 해결하기 어려우면 위로 올라간다.

연방제(네트워크)는 모든 조직문화는 수평을 원칙으로 한다. 상하, 수직적 관계는 근절해나가도록 한다.

나는 행운아다. 어머니, 아버지로부터 너무 큰 사랑을 받았다. 아버지는 돌아가시는 순간까지도 선한 마음으로 자식을 응원했다. 어머니는 지금도 자식에게 맛있는 음식을 먹이는 기쁨으로 행복해하신다. 끝까지 자식을 믿고 응원해주신 부모님이다. 돈이 들어가는 음식, 여행 한 번 선뜻 할 수 없는 형편은 또 다른 비유에 비하면 사치다. 나의 부족한 부분을 동생들과 자식들이 채워주고 있다. 어머니가 아프지 말고 건강하길 바랄 뿐이다.

아이들은 그저 자기가 하고 싶은 걸 찾고 할 수 있기를 바란다. 늦은 나이란 없다. 아무 때고 본인이 느끼면 그때가 시작이다. 연애, 여행 많이 하고, 필요하다고 느끼면 언제든 공부하고, 결혼하고, 돈이나 명예, 권력에 구속받지 말고 자유롭게 살았으면 좋겠다. 행복을 찾아서 자유로우면 좋겠다. 세상의 낡은 구속과 인식, 편견에 당당히 맞서나가는 사람. 남들 시선이나 인식에 주눅 들거나 위축되지 않는 사람. '인간다움'으로 아름답기를 바란다.

부족하고 부끄럽지만, 시와 글로 일상의 공백을 메우고 있다. 시집 『덤』, 『헬조선의 민낯』, 『바람 너머 당신』, 『내 가슴이 하늘에 녹아 불타는』, 산문으로 『어쩌다 좀비시대』, 『나는 어떻게 살 것인가』, 『사랑이 아니라면 분노하고 투쟁할 이유가 무엇이랴』를 펴냈다.

인간의 죽을 권리가 보장되는 사회이기를 바란다. 조력사 등 합법적 자살은 많은 사람을 위로하고 행복하게 한다. 불평등 계급사회에서는 단 한 사람도 자유롭고 행복할 수 없다. 소외된 삶의 뿌리, 불평등 계급사회에 맞서 싸우는 투쟁은 아름답다. 죽는 순간까지 겸손하고 소박하고 소탈한 삶으로 이어지기를 바란다. 내 삶의 몫이다.

사랑이 아니라면 분노하고 투쟁할 이유가 무엇이랴

초판발행 2024년 07월 19일

지 은 이 강현만
펴 낸 이 강현만
펴 낸 곳 덤이
출판등록 2021. 06. 16.(제2021-000022호)
주   소 01463)서울시 도봉구 도봉로104길 130, 제103호
전   화 010-7925-2058
이 메 일 kanghm21@hanmail.net

ISBN 979-11-93405-04-8
값 16,300원